Wszechświat

Wszechświat

SPIS TREŚCI

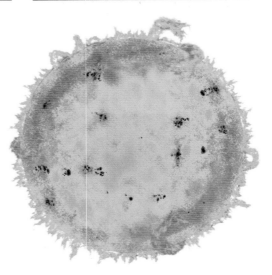

ASTRONOMIA

Niebo fascynowało ludzi od najdawniejszych czasów. Lśniące w dali gwiazdy uważano za dzieła bogów. Dokładniejsze i bardziej systematyczne obserwacje pozwoliły zauważyć pewne prawidłowości, odróżnić planety od gwiazd i zacząć przewidywać rozmaite zdarzenia w przestrzeni kosmicznej. Jednak dopiero ok. 500 lat temu dokonano przełomowego odkrycia: Ziemia to tylko jedna wśród wielu planet krążących wokół Słońca. Wynalazek teleskopu całkowicie zmienił sposób obserwacji nieba. Odkryto kolejne planety i zaczęto badać gwiazdy nowymi metodami. Astronomia stała się nowoczesną dziedziną nauki.

Co to jest astronomia?

Termin *astronomia* pochodzi z języka greckiego i oznacza naukę o gwiazdach. Już 5000 lat temu ludzie nieuzbrojonym okiem śledzili ruchy gwiazd, Księżyca i Słońca. Współczesne obserwatoria astronomiczne, wyposażone w najnowocześniejsze rozwiązania techniczne, umożliwiają oglądanie obiektów kosmicznych w bardzo dużym powiększeniu.

Co to jest astrologia?

Astrologią nazywamy badanie wpływu gwiazd na ludzkie życie. Na podstawie pozycji gwiazd w chwili narodzin człowieka astrologowie sporządzają horoskop, z którego odczytują jego przyszłe losy. Współczesna astronomia nie ma już właściwie nic wspólnego z astrologią.

Lokalizacja punktu obserwacyjnego na szczycie góry, gdzie powietrze jest rozrzedzone, w znacznym stopniu eliminuje zakłócenia spowodowane przez atmosferę ziemską.

Co to jest obserwatorium?

Obserwatorium to stacja badawcza, w której obserwuje się ciała niebieskie. Duże obserwatoria wznosi się najczęściej na szczytach gór, gdzie powietrze jest przejrzyste, z dala od miast, których nocne światła zakłócają prowadzenie obserwacji.

Dlaczego tyle obserwatoriów zbudowano na równiku?

Z obszarów okołorównikowych można obserwować niemal wszystkie jasno świecące gwiazdy północnej i południowej półkuli nieba. W okolicach równika buduje się również często ośrodki lotów kosmicznych. W tym obszarze prędkość rotacji Ziemi jest największa, a to ułatwia start rakiet kosmicznych.

Aby obrazowo przedstawić ruch planet, skonstruowano specjalne urządzenia, tak zwane planetaria. Początkowo były to proste modele mechaniczne. Pierwszy z nich zbudował Archimedes ok. 220 lat przed narodzeniem Chrystusa. Dziś mianem planetarium określamy zaciemniony budynek z kopułą, na której sklepieniu przy użyciu reflektorów przedstawia się rozmaite zjawiska astronomiczne. Planetaria służą celom edukacyjnym: pozwalają w realistyczny sposób ukazać gwiazdy, Słońce, Księżyc i planety.

Co to jest planetarium?

Starożytny grecki astronom Tales już w 585 roku p.n.e. potrafił prawidłowo obliczyć termin wystąpienia zaćmienia Słońca. A przecież było to ok. 2000 lat przed skonstruowaniem pierwszego teleskopu! Ówcześni astronomowie nie mieli teleskopów, lecz dysponowali prostymi urządzeniami, za pomocą których mogli dokonywać pomiarów pozycji Słońca, gwiazd i planet.

Czy pierwsi astronomowie mieli teleskopy?

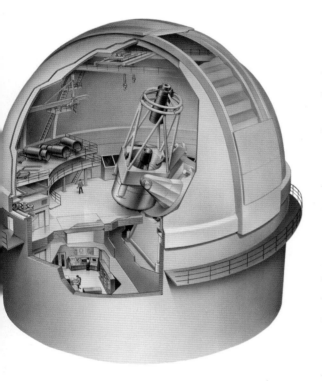

Obserwatoria wyposażone w teleskopy optyczne mają najczęściej dachy w kształcie kopuł i są zaciemnione, by światło z zewnątrz nie zakłócało obserwacji.

W przestrzeni kosmicznej znajduje się niewyobrażalnie wiele gwiazd. Aktualne szacunki mówią o ok. 70 tryliardach – ta liczba to siódemka z dwudziestoma dwoma zerami. Na całym niebie jest ok. 6000 gwiazd, z czego gołym okiem można zobaczyć w nocy ok. 2500. Większość gwiazd, które widzimy, należy do Drogi Mlecznej.

Ile istnieje gwiazd?

Jednostka astronomiczna (j.a.) to średnia odległość między Ziemią i Słońcem. 1 j.a. odpowiada mniej więcej 149 597 887 km. Jednostki tej używamy do zobrazowania odległości w obrębie Układu Słonecznego. Odległość między Merkurym i Słońcem wynosi 0,387 j.a. (ok. 58 mln km), natomiast Saturn krąży wokół Słońca w odległości ponad 9,5 j.a., to znaczy ok. 1 mld 432 mln km.

Co to jest jednostka astronomiczna (j.a.)?

Co to jest teoria geocentryczna?

Zgodnie z teorią geocentryczną centrum Wszechświata stanowi Ziemia. Dzieje tej teorii sięgają czasów starożytnej Grecji. Już Pitagoras (ok. 570––500 p.n.e.) przypuszczał, że Ziemia ma kształt kuli. Arystoteles (384–322 p.n.e.) na podstawie obserwacji nieba wywnioskował, że wszystkie ciała niebieskie krążą wokół Ziemi. Obserwacje te zebrał i uporządkował grecki astronom Ptolemeusz. Na jego cześć teorię tę często nazywa się „ptolemeuszowskim obrazem świata". Obowiązywała ona przez ponad 2000 lat, do czasu, aż polski astronom Mikołaj Kopernik (1473–1543) ogłosił teorię heliocentryczną, zgodnie z którą centrum Wszechświata stanowi Słońce. W tamtych czasach równało się to niemal z herezją.

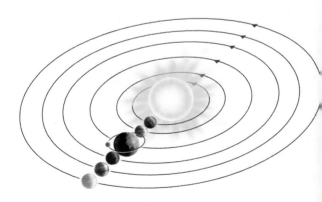

Naukowcy przypuszczają, że kamienne kręgi w Stonehenge pełniły funkcję kalendarza.

Kto odkrył, że Ziemia krąży wokół Słońca?

Już starożytni Grecy przypuszczali, że Ziemia może się poruszać wokół Słońca. W 206 r. p.n.e. astronom Arystarch z Samos twierdził, że Ziemia wraz z pięcioma znanymi wówczas planetami krąży wokół Słońca. Jednak aż do czasów średniowiecza ludzie wierzyli w teorię geocentryczną, ponieważ Arystarch nie potrafił dowieść swojego twierdzenia. Dopiero po wynalezieniu teleskopu Mikołaj Kopernik oraz Galileusz zdołali na podstawie obserwacji i obliczeń stworzyć naukowe podwaliny teorii heliocentrycznej.

Kim był Galileusz?

Galileusz (Galileo Galilei) był włoskim astronomem i fizykiem. Żył w latach 1564–1642. Jako jeden z pierwszych astronomów używał do obserwacji nieba skonstruowanego niedawno teleskopu. Galileusz odkrył cztery największe księżyce Jowisza i zauważył, że na powierzchni Księżyca wznoszą się góry. Z powodu żarliwej obrony heliocentrycznej teorii świata, sformułowanej przez Mikołaja Kopernika, został skazany przez sąd inkwizycyjny na wieloletni areszt domowy.

Na podstawie obserwacji rozgwieżdżonego nieba Mikołaj Kopernik stwierdził, że pięć znanych wówczas planet krąży nie wokół Ziemi, lecz wokół Słońca.

9

Astronomowie w starożytnych Chinach prowadzili bardzo dokładne obserwacje nieba. Już wiele setek lat przed narodzeniem Chrystusa starannie zapisywali terminy występowania zaćmień, pojawianie się komet i meteorów. W 1054 r. p.n.e. na niebie nagle pojawiła się nowa gwiazda, którą przez dwa lata widać było nawet w dzień. Dziś wiemy, że chińscy astronomowie mieli wtedy do czynienia z wybuchem supernowej, której pozostałości jeszcze dziś można obserwować przez teleskop.

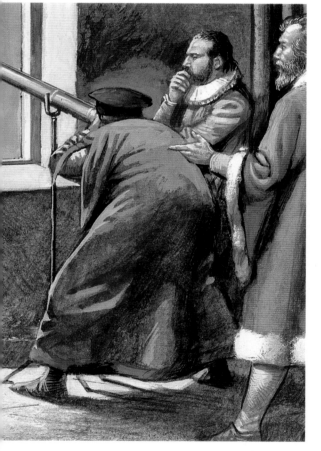

Galileusz był pierwszym astronomem, który użył teleskopu do obserwacji nieba.

Najbliższe Słońcu planety – Merkury, Wenus, Mars, Jowisz i Saturn – są znane już od czasów antycznych, ponieważ można je zaobserwować gołym okiem. W 1781 r. nadworny brytyjski astronom Wilhelm Herschel za pomocą teleskopu odkrył nową planetę, którą chciał nazwać na cześć angielskiego króla George Sidus. Ponieważ jednak wszystkie planety Układu Słonecznego noszą nazwy pochodzące z mitologii greckiej, nowo odkryta planeta otrzymała ostatecznie nazwę Uran.

Kiedy odkryto pierwszą planetę?

Kamienne kręgi, takie jak słynny obiekt w angielskim Stonehenge, według naszej dzisiejszej wiedzy pełniły przede wszystkim funkcję kalendarza. Głazami zaznaczano miejsca wschodu i zachodu Słońca w różnych porach roku oraz bieg Księżyca. Na tej podstawie dawni astronomowie mogli precyzyjnie określać czas siewów i zbiorów. Kamienne kręgi umożliwiały również dokładne przewidywanie takich zjawisk, jak zaćmienie Słońca czy Księżyca.

Na czym polega tajemnica Stonehenge?

Edwin Hubble (1889–1953) należał do pierwszych astronomów, którzy zajęli się badaniem innych układów gwiezdnych. Odkrył, że Wszechświat nieustannie się rozszerza. Jego nazwiskiem ochrzczono słynny teleskop kosmiczny, który od lat 90. ubiegłego wieku dostarcza nam wspaniałych zdjęć z przestrzeni kosmicznej.

Kim był Edwin Hubble?

Już starożytni Grecy nauczali, że Ziemia jest kulą. Około 2200 lat temu Eratostenes z dokładnością do kilku procent obliczył obwód Ziemi. Krzysztof Kolumb w czasie podróży do Indii – kiedy odkrył Amerykę – posługiwał się właśnie obliczeniami Eratostenesa.

Kto pierwszy zauważył, że Ziemia ma kształt kuli?

Jaką rolę odgrywał kalendarz?

W początkach państwowości kalendarz stanowił podstawowe narzędzie określania terminów. Jednym z istotnych powodów obserwacji nieba była właśnie chęć stworzenia precyzyjnego kalendarza.

Czy Babilończycy umieli przewidzieć zaćmienie Księżyca?

Babilończycy obserwowali niebo setki lat przed narodzeniem Chrystusa. Konstruowali kalendarze oparte na obiegu Księżyca, stworzyli również tablice, na podstawie których określano terminy zaćmień Księżyca.

Co to jest „Almagest"?

„Almagest" to skrócony tytuł arabskiego tłumaczenia najważniejszego dzieła greckiego astronoma Ptolemeusza Klaudiusza z II w. p.n.e. Jest to fundamentalne starożytne dzieło z zakresu astronomii.

Czym zasłużył się Johannes Kepler?

Johannes Kepler (1571–1630) stwierdził, że planety krążą wokół Słońca nie po orbitach kołowych, lecz eliptycznych. Jego odkrycie było sprzeczne z wszystkimi rozpowszechnionymi wówczas teoriami.

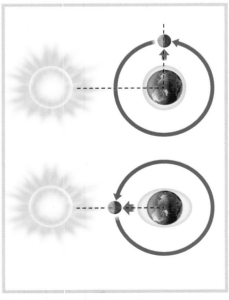

Wiele dawnych kalendarzy opierało się na Księżycu. Na podstawie obiegu satelity ziemskiego wokół naszej planety można było obliczyć przypływy i odpływy mórz.

Johannes Kepler szczęśliwie dysponował wynikami dokładnych obserwacji pozycji Marsa. Wielu astronomów od lat próbowało bowiem (nadaremnie) wyznaczyć przyszłą pozycję Czerwonej Planety. Kepler jednak jako pierwszy zorientował się, że orbitę Marsa można określić jedynie wtedy, gdy przyjmie się jej eliptyczny kształt.

Jak Kepler dokonał swego odkrycia?

Sir Izaak Newton (1642–1727) wywarł ogromny wpływ na znajomość praw fizyki rządzących światem. Sformułowane przez niego prawo grawitacji pozwoliło zrozumieć, dlaczego planety poruszają się w sposób opisany wcześniej przez Keplera.

Jak Izaak Newton zasłużył się dla astronomii?

Przez setki lat podstawowym zadaniem astronomii było dokładne określanie i przewidywanie pozycji gwiazd i planet. Zmieniło się to ok. połowy XIX w. W zdobywaniu wiedzy na temat obiektów astronomicznych w coraz większym zakresie zaczęto stosować metody z dziedziny fizyki, zarejestrowano np. spektrum Słońca. Narodziła się nowa dziedzina nauki, nazwana astrofizyką.

Kiedy powstała astrofizyka?

Teleskop, przez który Wilhelm Herschel zaobserwował Urana, miał zwierciadło o średnicy 4,20 m.

Już dawno do oglądania poszczególnych gwiazd – a zwłaszcza Słońca – zaczęto używać filtrów o rozmaitym zabarwieniu, umożliwiających dokładną obserwację określonych zjawisk.

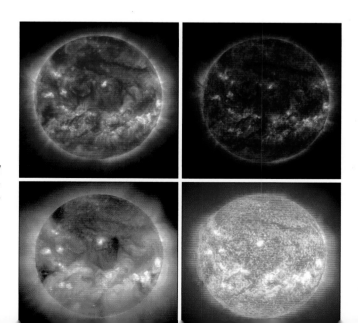

Dlaczego patrząc przez teleskop, spoglądamy w przeszłość?

Patrząc przez teleskop, widzimy galaktyki oddalone od Ziemi o miliony lat świetlnych. To znaczy, że światło potrzebowało milionów lat, by dotrzeć do Ziemi. Dlatego widzimy te galaktyki nie tak, jak wyglądają one dzisiaj, lecz tak, jak wyglądały przed milionami lat.

Co to jest teleskop soczewkowy?

Teleskop soczewkowy to w gruncie rzeczy rodzaj lunety: na jednym końcu w soczewce powstaje odwrócony obraz oddalonego obiektu, obserwowany przez znajdujący się na drugim końcu okular, służący badaczowi jako swego rodzaju szkło powiększające. Odwrócony obraz można ponownie odwrócić poprzez zastosowanie kolejnych soczewek, ale powoduje to pogorszenie jakości obrazu. Takie rozwiązanie stosuje się więc jedynie w urządzeniach używanych do obserwacji naziemnych.

Światło z odległych galaktyk potrzebuje milionów lat, by dotrzeć do Ziemi. Gwiazdy, których narodziny właśnie obserwujemy, w rzeczywistości mogły już zatem dawno zgasnąć.

Co to jest teleskop zwierciadlany?

W teleskopie zwierciadlanym światło jest skupiane przez zwierciadło wklęsłe o średnicy nawet kilku metrów. Obserwację obrazu umożliwiają zwierciadło płaskie i okular. Dziś niemal wszystkie profesjonalne teleskopy to właśnie teleskopy zwierciadlane.

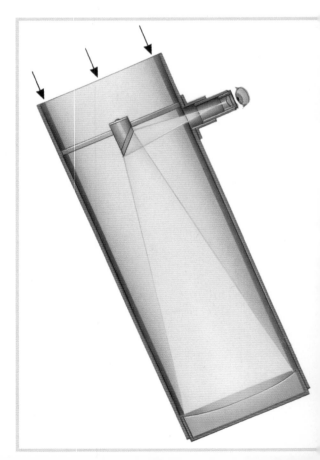

W teleskopie zwierciadlanym promienie światła padające na zwierciadło są skupiane i kierowane do oczu obserwatora. W ten sposób powstają bardzo wyraźne obrazy.

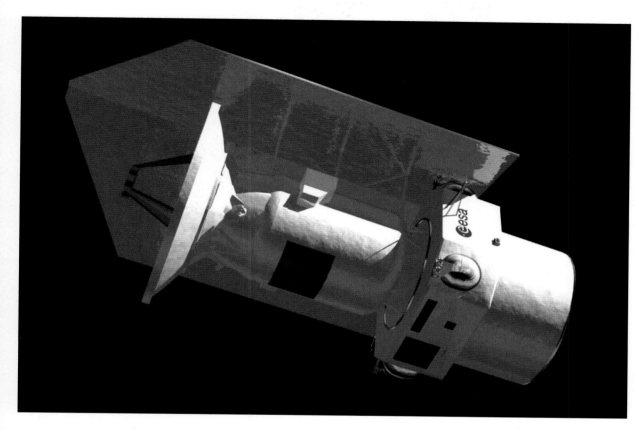

ESA zamierza wysłać w kosmos następcę teleskopu Hubble'a – teleskop kosmiczny Herschel.

Gdzie znajduje się największy teleskop na Ziemi?

Największe teleskopy na naszej planecie to dwa teleskopy Kecka na wyspie Mauna Kea w archipelagu Hawajów. Ich segmentowe zwierciadła mają średnicę 10 m i składają się z łącznie 36 segmentów.

Czym wyróżnia się Very Large Telescope?

Very Large Telescope, czyli Bardzo Wielki Teleskop, składa się z czterech teleskopów zwierciadlanych, każdy o średnicy 8,2 m. Już każdy z osobna zalicza się do grupy najbardziej wydajnych urządzeń tego typu na świecie. Naukowcom udało się połączyć obrazy ze wszystkich czterech i stworzyć obraz interferencyjny.

Już dziś astronomowie na całym świecie zastanawiają się, czym w przyszłości zostanie zastąpiony Bardzo Wielki Teleskop. Pod uwagę biorą np. teleskop o nazwie OWL, wyposażony w zwierciadło o średnicy 100 m.

ESO to skrót od *European Southern Observatory* (Europejskie Obserwatorium Południowe). W latach 60. ubiegłego wieku kraje europejskie rozpoczęły wspólną budowę teleskopu w Chile, który miał umożliwić europejskim astronomom obserwacje południowego nieba.

Niespokojna atmosfera ziemska przeszkadza w prowadzeniu obserwacji przez duże teleskopy. Uzyskiwane obrazy są poruszone i rozmazane. W tym przypadku z pomocą spieszy optyka adaptywna: sterowane przez komputer, regulowane zwierciadła „oczyszczają" obraz.

Jak będzie wyglądał teleskop następnej generacji?

Co znaczy skrót ESO?

Co to jest optyka adaptywna?

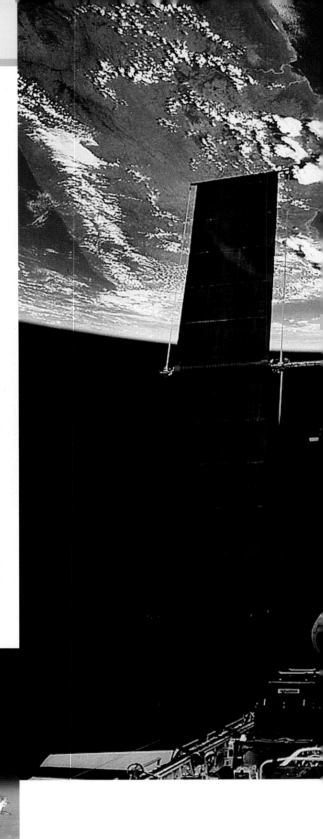

Co to jest teleskop kosmiczny?

Teleskop kosmiczny zostaje umieszczony na orbicie okołoziemskiej i stamtąd drogą radiową przesyła zdjęcia na Ziemię. Wygląda to wprawdzie na bardzo skomplikowaną operację, ma jednak ogromną zaletę: w próżni przestrzeni kosmicznej nie występują zakłócenia, które mogłyby spowodować zniekształcenie obrazów. Poza tym niektóre rodzaje promieniowania nie potrafią przeniknąć przez atmosferę ziemską, można je więc obserwować wyłącznie z przestrzeni kosmicznej.

Co to jest teleskop Hubble'a?

Teleskop kosmiczny Hubble'a został wyniesiony w przestrzeń kosmiczną 24 kwietnia 1990 r. przez prom kosmiczny Discovery. Ma 13,1 m długości i średnicę 4,3 m. Średnica największego zwierciadła wynosi 2,4 m. Rozdzielczość teleskopu jest bardzo wysoka: umożliwia np. obserwację struktur na powierzchni Księżyca o rozmiarach ok. 150 m.

Do czego teleskop Hubble'a potrzebował okularów?

Po umieszczeniu teleskopu Hubble'a w przestrzeni kosmicznej zauważono, że jego główne zwierciadło ma wadę, która uniemożliwia uzyskanie ostrych obrazów obiektów. Zorganizowano więc wyprawę „remontową", przechwycono teleskop i nałożono mu swego rodzaju okulary.

Prom kosmiczny wyniósł teleskop Hubble'a na orbitę okołoziemską. Aby zmieścić go na pokładzie promu, zastosowano konstrukcję składaną.

Ciała niebieskie emitują nie tylko promieniowanie świetlne. W 1931 r. inżynier Karl Guthe Jansky stwierdził, że szumy towarzyszące komunikacji radiowej są po części efektem promieniowania radiowego emitowanego przez inne galaktyki, i stworzył tym samym podstawy radioastronomii. Nauka ta dostarcza astronomom informacji o własnościach badanych przez nich obiektów.

Co to jest radioteleskop?

Radioteleskop wyposażony w największą i najmocniejszą antenę radiową na świecie znajduje się w Puerto Rico w okolicach Arecibo. Jego talerz ma średnicę 305 m.

Gdzie znajduje się największy radioteleskop na świecie?

Największy teleskop w Polsce to w pełni zmodernizowany 90-centymetrowy teleskop optyczny Schmidta-Cassegraina. Znajduje się w obserwatorium Astronomicznym Uniwersytetu im. Mikołaja Kopernika w Toruniu.

Gdzie znajduje się największy teleskop w Polsce?

Przechodząc przez pryzmat, światło ulega rozszczepieniu na poszczególne barwy spektrum. Analizując taką postać światła emitowanego przez obiekt, można się wiele dowiedzieć o jego właściwościach, np. o składzie chemicznym.

Co to jest spektrum?

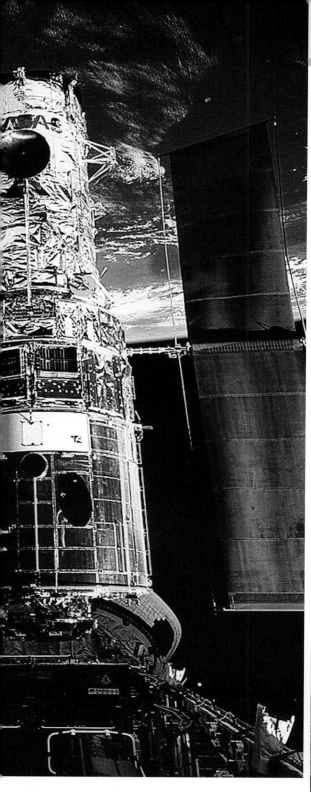

Teleskop kosmiczny Hubble'a przesyła na Ziemię zdjęcia zjawisk astronomicznych o nieosiągalnej do tej pory ostrości i wyrazistości, nie przeszkadzają mu bowiem zakłócenia powodowane przez atmosferę ziemską.

Do badań przestrzeni kosmicznej używa się radioteleskopów o największym zasięgu.

Kto nadał nazwy gwiazdozbiorom?

Już starożytni łączyli widoczne na nocnym niebie gwiazdy w grupy i nadawali im nazwy. W różnych kulturach istniały odmienne gwiazdozbiory. Te, które znamy obecnie, mimo swych przeważnie łacińskich nazw, wywodzą się ze starożytnej Grecji. Dzisiejsze nazwy gwiazdozbiorów ustaliła w 1925 r. Międzynarodowa Unia Astronomiczna.

Który gwiazdozbiór jest największy?

Pod względem powierzchni największy jest gwiazdozbiór Hydry, który zajmuje blisko 6% całego nieba.

Który gwiazdozbiór jest najsłynniejszy?

Bodaj najbardziej znanym gwiazdozbiorem północnego nieba jest Wielki Wóz, zauważalny nawet dla laika.

Ile istnieje gwiazdozbiorów?

Obecnie wyróżniamy łącznie 88 gwiazdozbiorów na całym niebie, z tego 32 przypadają na północną, a 47 na południową półkulę nieba. Dziewięć leży częściowo na północnej, a częściowo na południowej półkuli.

Gwiazdy zaliczane do tego samego gwiazdozbioru wcale nie znajdują się na tej samej płaszczyźnie. Krzyż Południa ma kształt krzyża jedynie wtedy, gdy obserwujemy go z Ziemi.

Na południowym niebie dominują cztery jasno świecące gwiazdy, tworzące konstelację nazwaną Krzyżem Południa.

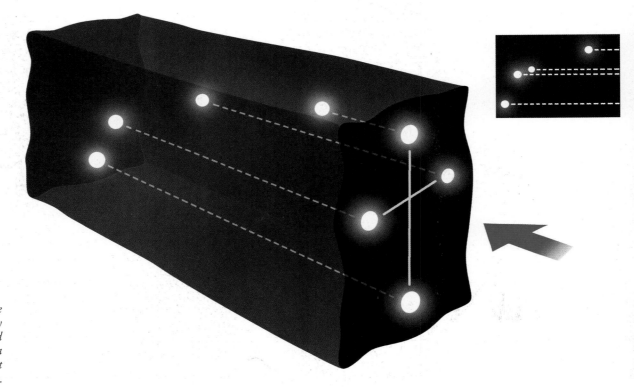

Konstelacja o nazwie Hydra to największy znany gwiazdozbiór. Pięć gwiazd tworzących głowę można łatwo zaobserwować nawet nieuzbrojonym okiem.

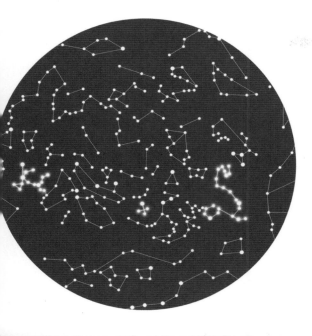

Wielki Wóz nie tworzy samodzielnego gwiazdozbioru. Składa się z siedmiu najjaśniejszych gwiazd, będących elementami gwiazdozbioru Wielkiej Niedźwiedzicy. W takich przypadkach astronomowie mówią o asteryzmie. Również znane formacje Pas Oriona i Miecz Oriona są przykładami asteryzmu.

Czy Wielki Wóz jest prawdziwym gwiazdozbiorem?

Kilka gwiazdozbiorów południowego nieba nosi nazwy pochodzące z języka technicznego: Zegar (Horologium), Mikroskop (Microscopium) i Pompa (Antlia). Astronomowie wprowadzili te nazwy, aby upamiętnić przełomowe wynalazki i osiągnięcia techniczne. Inne nowoczesne określenia, jak np. Sceptrum Brandenburgicum czy Officina Typographica, nigdy się jednak nie przyjęły.

Gdzie znajdują się Zegar, Mikroskop i Pompa?

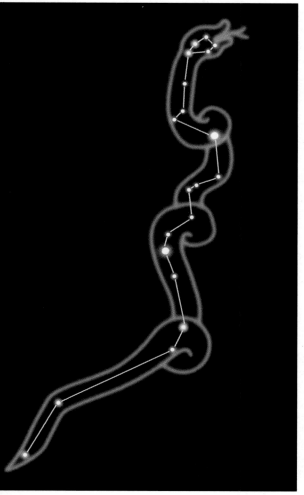

Najmniejszym gwiazdozbiorem jest Krzyż Południa (Crux). Składa się z zaledwie czterech dość jasnych gwiazd, tworzących wyraźny krzyż na południowym niebie.

Który gwiazdozbiór jest najmniejszy?

Krzyż Południa widnieje zarówno na fladze australijskiej, jak i nowozelandzkiej, natomiast gwiazdki amerykańskiej flagi nie mają nic wspólnego z ciałami niebieskimi, lecz symbolizują poszczególne stany USA.

Które kraje mają gwiazdozbiory na fladze narodowej?

Nawet jeśli nam się wydaje, że określone gwiazdy znajdują się blisko siebie bądź świecą równie jasno, wcale nie musi tak być. Bardzo jasna, lecz zarazem bardzo odległa gwiazda może dla ziemskiego obserwatora wyglądać dokładnie tak samo jak gwiazda, która świeci słabiej, lecz znajduje się bliżej. Gwiazdozbiory są wytworami ludzkiej fantazji, a wchodzące w ich skład ciała niebieskie często nie mają ze sobą zupełnie nic wspólnego.

Czy wszystkie gwiazdy jednego gwiazdozbioru są równie odległe?

Czy gwiazdozbiory są niezmienne?

Nie, ale nie widać tego na pierwszy rzut oka. Wszystkie gwiazdy znajdują się w ruchu, a ponieważ elementy poszczególnych gwiazdozbiorów są od siebie niezależne, ich wygląd może się zmieniać, chociaż trwa to wiele tysięcy lat.

O jakiej porze roku najlepiej obserwować niebo?

Na szerokościach geograficznych północnych najlepiej obserwować gwiazdy zimą. Noce są wtedy długie, ciemne, mroźne i często bezchmurne, a wtedy na niebie można dostrzec ciekawe gwiazdozbiory, takie jak Orion, który może posłużyć jako punkt wyjścia do poszukiwań innych obiektów.

Co to jest gwiazdozbiór okołobiegunowy?

Gwiazdozbiory okołobiegunowe znajdują się w pobliżu bieguna nieba i dlatego można je obserwować na niebie przez okrągły rok. W Europie Środkowej do gwiazdozbiorów okołobiegunowych zaliczamy Wielką i Małą Niedźwiedzicę, Kasjopeję, Cefeusza, Smoka, Żyrafę i częściowo Perseusza, Woźnicę, Rysia i Psy Gończe.

Co Jaszczurka ma wspólnego z Fryderykiem Wielkim?

Gwiazdozbiór o nazwie Jaszczurka próbowano w 1787 r. przemianować na „Friedrichsehre" w hołdzie królowi pruskiemu Fryderykowi II Wielkiemu. Jednakże zabiegi te, podobnie jak próba nazwania gwiazdozbioru na cześć francuskiego Króla Słońce, czyli Ludwika XIV, spełzły na niczym.

Ile jest znaków zodiaku?

To zależy prawdopodobnie od tego, kogo o to zapytamy. Zodiakiem nazywamy strefę nieba, w której przemieszczają się Słońce, Księżyc i planety. Ponieważ jednak oś Ziemi lekko się chwieje, już od wielu wieków stosowane przez astrologów dwanaście znanych znaków zodiaku nie jest zbieżnych z astronomicznymi znakami zodiaku. Poza tym astronomowie wyróżniają jeszcze jeden, trzynasty znak o nazwie Wężownik, którego nie uznają astrologowie.

Gwiazda Polarna leży dokładnie w osi rotacji północnego nieba.

Astronomowie zakładają, że centrum Drogi Mlecznej jest zlokalizowane w obrębie gwiazdozbioru Strzelca.

Gwiazdozbiór Oriona należy do najsłynniejszych i najbardziej charakterystycznych konstelacji na zimowym niebie. Tuż pod Pasem Oriona znajduje się Mgławica Oriona, skupisko gazu i pyłu, rozświetlone licznymi, bardzo jasnymi gwiazdami o dużej masie. Mgławica Oriona to gwiezdne przedszkole: w ciągu ostatnich dziesięciu milionów lat powstały tam dziesiątki tysięcy nowych gwiazd. Dla astronomów to prawdziwa kopalnia wiedzy.

Jak znaleźć Gwiazdę Polarną?

Gwiazdę Polarną można dość łatwo zlokalizować: trzeba popatrzeć dokładnie w kierunku północnym i odszukać Małą Niedźwiedzicę (Mały Wóz). Na końcu dyszla Wozu znajduje się Gwiazda Polarna.

Czym są zimowe, a czym letnie gwiazdozbiory?

W ciągu roku na niebie pojawiają się coraz to inne gwiazdozbiory. Niektóre, np. Wielki Pies czy Orion, są widoczne przede wszystkim zimą, inne lepiej widać latem.

Kim była Kasjopeja?

Kasjopeja to niezachodzący gwiazdozbiór północnego nieba, widoczny przez cały rok. Według legendy Kasjopeja była etiopską księżniczką.

Trzy środkowe gwiazdy Oriona świecą tak jasno, że otrzymały własną nazwę: Pas Oriona.

Czy środek Drogi Mlecznej leży w gwiazdozbiorze Strzelca?

Astronomowie przypuszczają, że w środku Drogi Mlecznej, w miejscu, w którym można zaobserwować jedno z najsilniejszych źródeł promieniowania radiowego, nazywanym Sagittarius A*, znajduje się czarna dziura. Sagittarius A* rzeczywiście znajduje się w gwiazdozbiorze Strzelca. Na widocznym obszarze środek Galaktyki spowijają jednak szczelnie gęste chmury gazu i pyłu.

Dlaczego Syriusz bywa nazywany Psią Gwiazdą?

Syriusz, największa gwiazda konstelacji o nazwie Wielki Pies, to najjaśniejsza gwiazda nocnego nieba. Już w czasach starożytnych odgrywała w astronomii bardzo ważną rolę. Egipcjanie nazywali Syriusza Psią Gwiazdą, a z jego pojawieniem się na letnim niebie wiąże się używane w niektórych językach określenie „psie dni". Na temat genezy tej nazwy istnieje kilka teorii: niektórzy uważają, że nazwa Syriusz pochodzi od egipskiego boga Ozyrysa, przedstawianego jako człowiek z głową psa. Zdaniem innych słowo to należy kojarzyć z egipskim czasownikiem znaczącym „schnąć", „usychać".

WSZECHŚWIAT

Dopiero na początku XX w. astronomowie uświadomili sobie, jak wielki jest Wszechświat: dzięki stale rozwijającym się możliwościom obserwacji dostrzeżono, że niektóre obiekty, dotąd uważane za mgławice, są w rzeczywistości odległymi galaktykami, które, podobnie jak Droga Mleczna, składają się z wielu miliardów gwiazd. Wszystko to pozostaje w nieustannym ruchu, w wyniku którego galaktyki się od nas oddalają. Ale także blisko nas znajdziemy niepowtarzalne i niezwykłe obiekty: potężne gwiazdy olbrzymy, które eksplodują już po upływie kilku milionów lat, egzotyczne gwiazdy neutronowe i czarne dziury.

Czym był Wielki Wybuch?

Naukowcy zakładają, że Wszechświat był pierwotnie skupiony w jednym punkcie i w chwili tak zwanego Wielkiego Wybuchu zaczął się rozszerzać. Wnioskują tak na podstawie faktu, że Wszechświat w dalszym ciągu się rozszerza, a odległości między poszczególnymi galaktykami rosną. Od czegoś proces ten musiał się rozpocząć.

Co było przed Wielkim Wybuchem?

Zgodnie z powszechnie obowiązującą teorią przed Wielkim Wybuchem nie było nic, ponieważ także czas powstał właśnie wtedy. A skoro nie było czasu, nie możemy mówić o okresie przed Wielkim Wybuchem.

Czy skoro Wielki Wybuch faktycznie nastąpił, istnieje centrum Wszechświata?

Nie. Zgodnie z aktualnie obowiązującymi teoriami nie da się wyznaczyć miejsca, w którym nastąpił Wielki Wybuch. Aby zrozumieć, jak to jest możliwe, posłużmy się porównaniem. Spróbujmy sobie wyobrazić Wszechświat dwuwymiarowy, to znaczy płaski jak powierzchnia nienadmuchanego balonu. Wszystkie galaktyki są rozmieszczone na tej powierzchni. Gdy nadmuchamy balon, galaktyki oddalą się od siebie. Mimo to centrum tego Wszechświata wcale nie znajduje się na powierzchni balonu. Dla mieszkańca tak pojmowanego Wszechświata punkt centralny nie istnieje, ponieważ jest on ukryty w trzecim wymiarze.

Po Wielkim Wybuchu z istniejącej materii powstały pierwsze galaktyki.

Zdjęcia zrobione przez teleskop kosmiczny Hubble'a zdają się potwierdzać teorię o rozszerzaniu się Wszechświata.

Z aktualnych modeli kosmologicznych wynika, że tuż po Wielkim Wybuchu nastąpiła niewyobrażalnie krótka faza, w której trakcie Wszechświat rozszerzał się z ogromną prędkością, znacznie większą od prędkości światła. To zaskakujące, ale teoria ta wcale nie jest sprzeczna z prawem, zgodnie z którym nic nie porusza się w przestrzeni szybciej niż światło, ponieważ to nie materia przemieszczała się w przestrzeni, lecz sama przestrzeń się rozszerzała.

Czy kiedyś Wszechświat rozprzestrzeniał się szybciej od światła?

Kosmicznym promieniowaniem tła nazywamy pozostałości promieniowania, które wytworzyło się w czasie Wielkiego Wybuchu. Możemy je obserwować właściwie równomiernie niemal ze wszystkich kierunków. Promieniowanie nie pochodzi jednak bezpośrednio z Wielkiego Wybuchu, lecz z czasów, gdy Wszechświat był przezroczysty. Tak było mniej więcej 300 000 lat po Wielkim Wybuchu.

Co to jest kosmiczne promieniowanie tła?

Kosmiczne promieniowanie tła ma temperaturę o 3°C wyższą od zera absolutnego. W przestrzeni międzygalaktycznej panuje więc temperatura −270°C .

Jak ciepły jest Wszechświat?

Prawdopodobnie tak. Według najnowszych teorii rozszerzanie się Wszechświata – napędzane ciemną energią – może nawet odbywać się coraz szybciej. Nikt jednak do tej pory dokładnie nie określił, czym właściwie miałaby być owa ciemna energia. Naukowcy z całego świata gorączkowo poszukują odpowiedzi na to pytanie. Jedynym, co udało się do tej pory zmierzyć, jest jej wpływ na prędkość, z jaką rozszerza się Wszechświat.

Czy Wszechświat będzie się rozszerzał wiecznie?

Nikt tego nie wie dokładnie. Widzimy bowiem tylko tę część Wszechświata, z której dociera do nas światło. Co kryje się za nią, nie wiemy.

Jak duży jest Wszechświat?

Co to jest gwiazda?

Mianem gwiazdy astronomowie określają gazowe kule emitujące własne światło. Gwiazdą jest np. nasze Słońce, natomiast planety, takie jak Ziemia, gwiazdami nie są.

Jaka gwiazda, prócz Słońca, znajduje się najbliżej Ziemi?

Jest to Proxima Centauri, centralna gwiazda konstelacji pod nazwą Centaur, odległa o 4,3 roku świetlnego od Ziemi. Jej światło pokonuje drogę do Ziemi w ciągu 4,3 roku. Musi przebyć odległość ponad 40 bln km.

Jak duża jest największa gwiazda?

Największe gwiazdy mają średnicę ponad 1000-krotnie większą od średnicy naszego Słońca. Przy tak ogromnych odległościach określenie wielkości jest jednak niezwykle trudne. Astronomowie przypuszczają np., że średnica gwiazdy pod nazwą Epsilon Aurigae przekracza 2700 razy średnicę Słońca. VV Cephei natomiast jest ok. 1600 razy większa od naszej dziennej gwiazdy.

Czy wiele gwiazd przypomina nasze Słońce?

Rzeczywiście, nasze Słońce wydaje się gwiazdą zupełnie przeciętną i możliwe, że większość gwiazd Drogi Mlecznej jest do niego podobnych. Przypuszczalnie istnieje tam także wiele gwiazd mniejszych od Słońca.

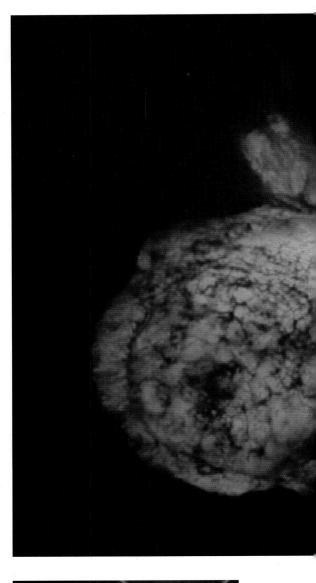

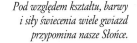

Pod względem kształtu, barwy i siły świecenia wiele gwiazd przypomina nasze Słońce.

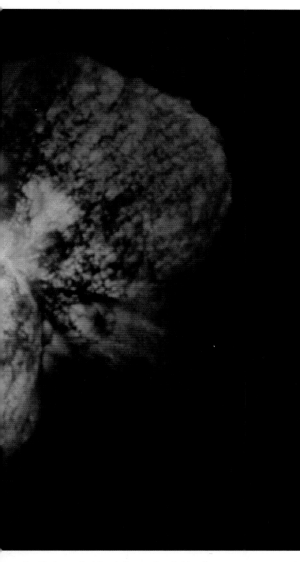

Nie. Gwiazdy świecą, ponieważ w ich wnętrzu spala się wodór. Jego zapasy kiedyś się wyczerpują. Gwiazdy o stosunkowo niewielkiej masie, takie jak nasze Słońce, mogą świecić przez wiele miliardów lat, nim zaczną się zmieniać, ale większe gwiazdy zużywają zapasy wodoru często w ciągu zaledwie 100 mln lat.

Czy gwiazdy świecą nieskończenie długo?

To zależy od ich pierwotnej masy. Nasze Słońce przekształci się kiedyś w białego karła – świecącą początkowo jasnym światłem pozostałość gwiazdy, która będzie ciemnieć z biegiem czasu. Większe gwiazdy eksplodują. Nazywamy to wybuchem supernowej. Takie gwiazdy kończą żywot jako gwiazda neutronowa lub czarna dziura.

Co dzieje się z gwiazdami, które przestają świecić?

Gwiazdą podwójną nazywamy dwie gwiazdy krążące wokół wspólnego środka ciężkości. Jeśli jedna z nich dysponuje większą masą, punkt ciężkości znajduje się bliżej niej.

Co to jest gwiazda podwójna?

Zaobserwowano, że niektóre gwiazdy świecą ze zmienną jasnością. Może istnieć ku temu wiele powodów: niektóre gwiazdy rzeczywiście sprawiają wrażenie jaśniejszych bądź ciemniejszych, inne to gwiazdy podwójne, które okrążają się w taki sposób, że powstaje wrażenie zmiennej jasności.

Co to jest gwiazda zmienna?

Eta Carinae uchodzi za jedną z najpotężniejszych gwiazd we Wszechświecie: ma masę stukrotnie większą od naszego Słońca i emituje 5 mln razy więcej energii.

Dzieje gwiazdy od narodzin do eksplozji. W obłoku powstałym po eksplozji tworzą się później nowe gwiazdy.

Czy gwiazdy mają barwy?

Tak, barwa gwiazdy zależy od temperatury jej powierzchni: bardzo gorące gwiazdy są białoniebieskawe, natomiast te chłodniejsze mają czerwony odcień. Barwy często można odróżnić nawet nieuzbrojonym okiem.

Jak wygląda mapa gwiazd?

Mapa gwiazd to kartograficzne przedstawienie nieba. Dla początkujących najbardziej odpowiednie są obracane mapy, na których można dokładnie ustawić wycinek nieba w rzeczywistości będący przed nami. Jasność gwiazdy najczęściej oznacza się za pomocą punktów rozmaitej wielkości. Gwiazdozbiory przedstawia się, łącząc ze sobą należące do nich gwiazdy.

Mapy gwiazd pomagają zorientować się na nocnym niebie. Dodatkowe ułatwienie stanowi zaznaczenie wybranych gwiazdozbiorów. Na mapach północnego nieba Gwiazda Polarna zazwyczaj znajduje się dokładnie pośrodku.

Jak podaje się jasność gwiazdy?

Około 130 r. p.n.e. Hipparch opracował metodę, na której podstawie dzielimy jasność gwiazd na sześć klas, przy czym gwiazda szóstej klasy to taka, którą można jeszcze dostrzec nieuzbrojonym okiem. Później metodę tę udoskonalono: odstęp między kolejnymi klasami to 1 do 2,5. To znaczy, że gwiazda pierwszej klasy jest 2,5-krotnie jaśniejsza niż gwiazda drugiej klasy.

Gromady gwiazd, takie jak ta przedstawiona obok, mogą obejmować nawet 100 000 gwiazd najróżniejszych rozmiarów.

Mgławica Kraba powstała, kiedy centralna gwiazda najpierw przekształciła się w supernową, a następnie zapadła się w sobie, aby w końcu utworzyć gwiazdę neutronową.

Co to jest gwiazda neutronowa?

Gwiazdy neutronowe to najmniejsze i najbardziej skoncentrowane spośród wszystkich gwiazd. Mają masę zbliżoną do masy naszego Słońca, ale ich średnica nie przekracza 20 km.

Co to jest supernowa?

Supernowa powstaje, gdy eksploduje gwiazda, która zużyła już cały zapas paliwa. Może wtedy przez chwilę świecić miliardy razy mocniej niż pierwotnie. Dawniej takie rozbłyski błędnie interpretowano jako narodziny nowej gwiazdy, stąd określenie „nowa".

Jak powstaje gwiazda?

Gwiazdy tworzą się prawdopodobnie z potężnej, liczącej wiele lat świetlnych chmury gazów, w której pod wpływem ruchu obrotowego powstają skupiska materii. Gdy ruch obrotowy staje się coraz szybszy, poszczególne skupiska materii zagęszczają się, aż w końcu ich temperatura osiąga wartość, w której może rozpocząć się spalanie wodoru.

Ile gwiazd liczy nasza Galaktyka?

Trudno podać konkretną liczbę. Prawdopodobnie jest to kilkaset miliardów gwiazd. Jeśli faktycznie tak jest, Droga Mleczna zalicza się do zupełnie przeciętnych galaktyk spiralnych.

Co to jest gromada gwiazd?

Rozróżniamy otwarte gromady gwiazd i tak zwane gromady kuliste. Gromady otwarte są stosunkowo młode i obejmują maksymalnie 1000 gwiazd. Gromady kuliste natomiast mogą się składać z ponad 100 000 gwiazd i być bardzo stare.

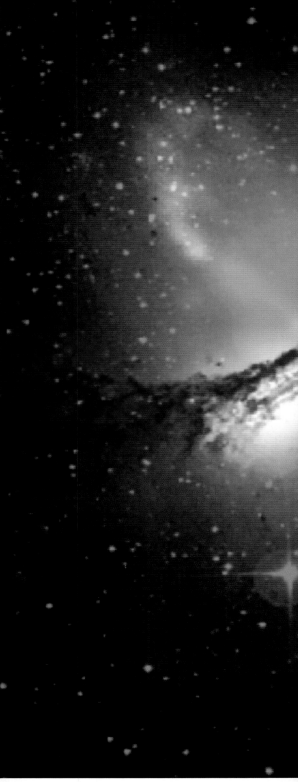

Co to jest czarna dziura?

Czarną dziurą nazywamy obiekt mający tak wielką siłę przyciągania, że nic – nawet światło – nie jest w stanie wyrwać się z obszaru jej działania. Dlatego też nie można bezpośrednio zaobserwować czarnych dziur.

Czy wszystkie czarne dziury są takie same?

Istnieją dwa rodzaje czarnych dziur: o niezwykle dużej masie oraz gwiazdowe. Te drugie tworzą się prawdopodobnie po wybuchu gwiazdy. Do dziś nie wyjaśniono natomiast, jak powstają czarne dziury o potężnej masie, miliony razy większej niż masa ich gwiazdowych krewniaków.

Czy istnieją dowody na istnienie czarnych dziur?

Choć nie da się bezpośrednio zaobserwować czarnych dziur, możemy rejestrować promieniowanie emitowane przez materię, która wkrótce zostanie pochłonięta przez czarną dziurę. Można też prześledzić tory gwiazd w pobliżu miejsca, gdzie przypuszczalnie znajduje się czarna dziura, i na tej podstawie obliczyć masę nieznanego obiektu. Jest ona najczęściej tak potężna, że możemy mieć do czynienia jedynie z czarną dziurą.

Potężna siła grawitacji czarnej dziury zdaje się pochłaniać światło otaczających ją gwiazd.

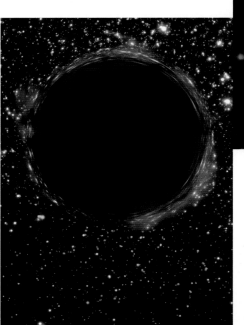

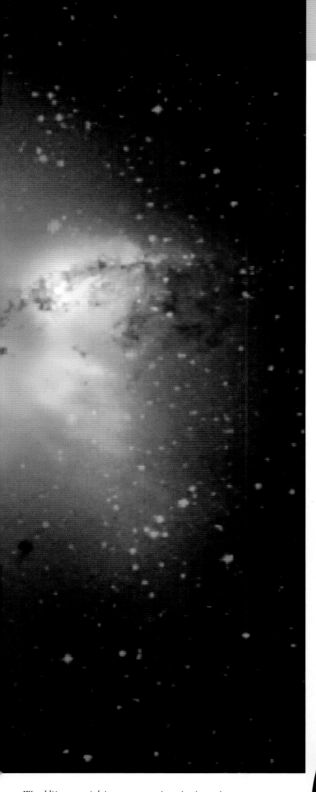

Tak, oczywiście. Przecież mamy do czynienia z obiektami o bardzo dużej koncentracji. Udało się zaobserwować gwiazdowe czarne dziury, przemieszczające się przez Drogę Mleczną.

Czy czarne dziury mogą się poruszać?

Tak, czarne dziury rosną, wsysając materię i tym samym powiększając własną masę. Stopniowo pochłaniają całą materię znajdującą się w obszarze ich oddziaływania.

Czy czarne dziury rosną?

Takie wydarzenie prawdopodobnie wcale nie należy do rzadkości, nawet jeśli do tej pory nie udało się go zaobserwować. Naukowcy zakładają, że takie dwie czarne dziury początkowo krążą wokół siebie, a dystans między nimi stopniowo się zmniejsza, aż w końcu stapiają się ze sobą.

Co się dzieje, gdy spotkają się dwie czarne dziury?

Biała dziura to „odwrócona w czasie" wersja czarnej dziury: podczas gdy czarna dziura pochłania otaczającą ją materię, biała dziura materię tę emituje. Na razie białe dziury istnieją jedynie w teorii i jest bardzo wątpliwe, czy takie obiekty występują w rzeczywistości.

Czy istnieją także białe dziury?

W pobliżu czarnej dziury o ogromnej masie nie musi panować wieczny mrok. Jeśli przechwycona przez dziurę gwiazda eksploduje pod wpływem potężnej siły przyciągania, jej pozostałości rozświetlają otoczenie.

Po gwieździe pochłoniętej przez czarną dziurę pozostaje tylko świetlisty ślad.

Co to jest Droga Mleczna?

Droga Mleczna to nasza rodzima Galaktyka, należąca do grupy galaktyk spiralnych średniej wielkości. Znajduje się ona w jednym z ramion tej grupy, oddalonym ok. 27 000 lat świetlnych od centrum galaktyki.

Czy gołym okiem dostrzegamy tylko gwiazdy Drogi Mlecznej?

Tak. Na raz widzimy nie więcej niż 2500 gwiazd. W absolutnych ciemnościach można również zaobserwować gromady gwiazd oraz gromady kuliste będące częścią Drogi Mlecznej. Aby dostrzec inne galaktyki, trzeba mieć dużo szczęścia.

Jak nazywa się najbliższa od nas galaktyka?

Najbliżej nas znajdują się Mały i Wielki Obłok Magellana, położone w odległości 165 000 lat świetlnych. Są to satelitarne galaktyki Drogi Mlecznej. Najbliższa „prawdziwa" galaktyka to Mgławica Andromedy M31, oddalona od nas o 2,3 mln lat świetlnych.

Czy Mgławica Andromedy jest większa od Drogi Mlecznej?

Tak, Mgławica Andromedy ma średnicę ok. 150 000 lat świetlnych i masę 300 mld razy większą niż nasze Słońce. Dla porównania Droga Mleczna ma średnicę ok. 100 000 lat świetlnych i masę 200 mld razy większą od masy Słońca.

Oddalona o ponad 2 mld lat Mgławica Andromedy to galaktyka położona najbliżej Drogi Mlecznej.

W formacji pod nazwą Sekstet Seyferta potężne siły grawitacji zderzających się galaktyk doprowadzają nawet do rozrywania gwiazd.

Gdy spotka się kilka galaktyk, rozpoczyna się proces stapiania, który może potrwać miliardy lat.

Tak. Astronomowie rzeczywiście wychodzą z założenia, że za 2–3 mld lat dojdzie do zderzenia Mgławicy Andromedy z Drogą Mleczną. Mgławica Andromedy zbliża się do nas z prędkością ok. 300 km/s.

Czy Mgławica Andromedy zderzy się z Drogą Mleczną?

Teleskop kosmiczny Hubble'a poszukuje m.in. bardzo słabo świecących galaktyk i do tej pory znalazł ich już bardzo wiele. Na podstawie tych obserwacji liczbę galaktyk w widocznej części Wszechświata ocenia się na prawie 100 mld.

Ile istnieje galaktyk?

Zwykle dzielimy galaktyki na spiralne, takie jak Droga Mleczna, spiralne z poprzeczką, które mają jądro w kształcie poprzeczki, oraz galaktyki eliptyczne, mające jasne jądro, ale niewykazujące struktury spiralnej. To, co nie pasuje do żadnego z tych schematów, jest klasyfikowane jako galaktyka nieregularna. Przykładem takiej galaktyki nieregularnej jest Obłok Magellana.

Co to jest galaktyka nieregularna?

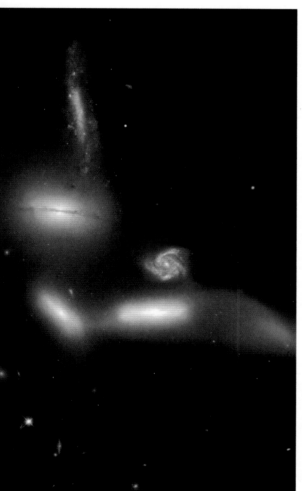

Gromadą galaktyk nazywamy skupisko galaktyk, których wzajemna siła przyciągania powoduje, że tworzą grupę. Przypuszczalnie większość galaktyk jest częścią takiej gromady. Gromady z kolei tworzą supergromady. Również Droga Mleczna należy do takiej gromady, nazywanej Grupą Lokalną. Grupa Lokalna przypuszczalnie składa się z 25 części, m.in. również z galaktyk karłowatych i satelitarnych.

Co to jest gromada galaktyk?

Kwazary to pseudogwiazdowe obiekty, które wyglądają jak gwiazdy, ale po bliższym przyjrzeniu się okazują się bardzo jasnym jądrem nadzwyczaj odległej galaktyki. Ze względu na tę ogromną odległość galaktyki nie da się jednak rozpoznać.

Co to jest kwazar?

UKŁAD SŁONECZNY

Układ Słoneczny, obejmujący 8 planet, to nasza ojczyzna w kosmosie. Ziemia jako trzecia planeta okrąża Słońce i jest jedynym znanym nam miejscem we Wszechświecie, w którym mogą żyć ludzie. Nawet na sąsiadujących z Ziemią planetach – Marsie i Wenus – panują tak ekstremalne warunki, że życie nie mogłoby tam istnieć. Na bardziej oddalonych planetach jest jeszcze gorzej. Na jednym z księżyców Jowisza nie-

ustannie dochodzi do wybuchów wulkanów, natomiast pewna okrążająca Saturna planetoida może przypominać Ziemię z jej dawnych czasów. Na skraju Układu Słonecznego naukowcy ciągle odkrywają nowe obiekty, które krążą wokół Słońca po długich orbitach.

Jak duże jest Słońce?

Słońce ma średnicę prawie 1,4 mln km; to ponad 100 razy więcej niż wynosi średnica Ziemi. Poza tym Słońce ma 333 000 razy większą masę niż Ziemia i stanowi ok. 99,8% ogólnej masy Układu Słonecznego.

Co to jest masa Słońca?

Masy gwiazd i innych obiektów są w ziemskich kategoriach niewyobrażalnie wielkie. Na przykład masa Słońca wynosi ok. 2 000 000 000 000 000 000 000 000 000 000 kg. Aby móc sobie wyobrazić masę jeszcze większych obiektów, posługujemy się właśnie porównaniem ze Słońcem. Możemy zatem mówić np. o obiekcie o masie dziesięciu Słońc.

Jak daleko od Ziemi znajduje się Słońce?

Słońce jest oddalone od Ziemi o ok. 150 mln km. Odległość tę astronomowie nazywają jednostką astronomiczną, w skrócie j.a.

Czy Słońce także obraca się wokół własnej osi?

Tak, choć ze zróżnicowaną prędkością. W okolicach równika potrzebuje na wykonanie pełnego obrotu ok. 25 dni, przy biegunach – 36 dni. Daleko w głębi Słońca okres pełnego obrotu wokół własnej osi wynosi natomiast najprawdopodobniej 27 dni.

Słońce, nawet obserwowane z odległości ponad 200 mln km, jest znacznie większe od naszej ojczystej planety.

W promieniach Słońca o świcie i o zmierzchu niebo przybiera czerwonawe zabarwienie.

Dlaczego Słońce rano i wieczorem wygląda inaczej niż w dzień?

Wygląd Słońca zmienia się za sprawą drobnych cząsteczek zawartych w ziemskiej atmosferze. Cząsteczki te faktycznie „pochłaniają" niebieski składnik światła. Im niżej na niebie znajduje się Słońce, tym dłuższa jest droga promieni słonecznych przez atmosferę. W czasie wschodu lub zachodu Słońca zanika spora część niebieskiego składnika światła i dlatego blask Słońca przybiera czerwoną barwę.

Ile lat ma Słońce?

Obecnie uważa się, że Słońce ma 4,6 mld lat. Wiek ten obliczono, porównując zmiany, jakie zaszły na Słońcu, z przypuszczalnym wyglądem gwiazdy tej samej klasy, która jest jeszcze młoda.

Jak Słońce wytwarza energię?

Słońce można by w zasadzie nazwać potężną elektrownią atomową, tyle że w jego wnętrzu odbywa się nie rozszczepianie, a fuzja atomów. W jądrze Słońca w ciągu jednej sekundy 655 mln ton wodoru przekształca się w 650 mln ton helu. Różnica mas uwalnia się w postaci energii.

Jak gorące jest Słońce?

Widoczna powierzchnia Słońca nosi nazwę fotosfery. Panuje w niej temperatura ok. 5600°C. Nad nią znajduje się nieco chłodniejsza chromosfera, do której przylega korona Słońca. W koronie panują temperatury sięgające 1 mln°C. Goręcej, bo nawet 15 mln°C, jest jeszcze tylko w samym środku naszej dziennej gwiazdy.

Czym są plamy słoneczne?

Plamami słonecznymi nazywamy ciemniejsze miejsca na powierzchni Słońca, odkryte przez Galileusza i kilku innych astronomów. Plamy te mogą mieć średnicę ponad 50 000 km i często tworzą grupy. Plamy wydają się ciemniejsze, ponieważ mają nieco niższą temperaturę niż ich otoczenie. Prawdopodobnie mają związek z polem magnetycznym Słońca.

Co to jest cykl plam słonecznych?

Już w XIX w. astronomowie zauważyli, że w poszczególnych latach liczba plam na Słońcu nie jest taka sama. Co 11 lat można zaobserwować szczególnie dużo plam, Słońce jest wtedy bardzo aktywne i dochodzi do wielu erupcji, w czasie których Słońce wyrzuca w przestrzeń kosmiczną drobne cząstki z prędkością 1500 km/s.

Czy erupcje słoneczne mogą być dla nas zagrożeniem?

Tak. Wprawdzie powierzchnię Ziemi i nas samych dość skutecznie chroni pole magnetyczne, ale wybuchy na Słońcu mogą np. spowodować zakłócenia pracy satelitów na orbicie okołoziemskiej, a także problemy z komunikacją radiową i funkcjonowaniem rozmaitych urządzeń elektrycznych na Ziemi. Cząsteczki wyrzucane przez Słońce w przestrzeń kosmiczną wywołują także efekt zorzy polarnej.

Co to jest wiatr słoneczny?

Wiatrem słonecznym nazywamy stały strumień cząsteczek pochodzących z korony Słońca, który może osiągać prędkość do 400 km/h. Wiatr ten dociera daleko w głąb Układu Słonecznego; jego występowanie stwierdzono nawet poza orbitą Plutona.

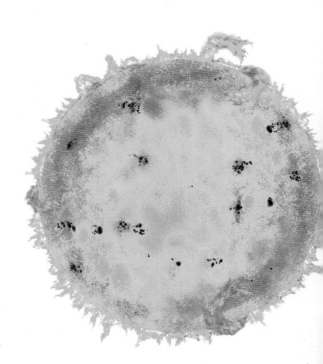

Aktywność plam na Słońcu wiąże się z gwałtownymi wybuchami na powierzchni naszej dziennej gwiazdy.

Co to jest pogoda kosmiczna?

Pod pojęciem pogody kosmicznej rozumiemy warunki w przestrzeni kosmicznej, które w jakikolwiek sposób mogą oddziaływać na nasze życie na Ziemi. Należą do nich przede wszystkim erupcje słoneczne i silny wiatr słoneczny. Precyzyjne określenie czasu, w którym strumień słonecznych cząsteczek uderzy w Ziemię, pozwala w porę zabezpieczyć delikatne satelity. Dlatego naukowcy przez całą dobę obserwują Słońce, aby w razie konieczności móc szybko zareagować.

Czy Słońce staje się coraz lżejsze?

Słońce świeci, ponieważ w jego wnętrzu odbywa się spalanie wodoru. Wskutek tego procesu Słońcu nieustannie ubywa masy – ok. 15 mld ton w ciągu godziny. Do tego dochodzi jeszcze materia wyrzucana w przestrzeń kosmiczną w postaci wiatru słonecznego.

W 1995 r. obserwatorium słoneczne SOHO wyruszyło w kosmos na pokładzie rakiety nośnej Atlas.

Słońce ma niezwykle silne pole magnetyczne, odpowiedzialne za wiele zjawisk obserwowanych na jego powierzchni. Co 11 lat owo pole magnetyczne odwraca się: dzieje się tak zawsze wtedy, gdy Słońce jest szczególnie aktywne i występuje na nim wiele plam. Po raz ostatni zdarzyło się tak na początku 2001 r.: od tej pory magnetyczny biegun północny Słońca wskazuje na południe. Dopiero w 2012 r., gdy wystąpi kolejne maksimum, sytuacja wróci do normy.

Za mniej więcej 5–6 mld lat zapas wodoru we wnętrzu Słońca się wyczerpie. Słońce rozedmie się do 150-krotności swych obecnych rozmiarów i przekształci się w czerwonego olbrzyma. Prawdopodobnie pochłonie przy tym wewnętrzne planety Układu Słonecznego. Potem być może na krótki czas przyjmie postać barwnej planetarnej mgławicy, a następnie stanie się białym karłem, który będzie się stopniowo ochładzał.

Jak długo jeszcze będzie żyło Słońce?

Zaćmienie Słońca występuje wtedy, gdy Księżyc znajdzie się dokładnie między Ziemią a Słońcem, zakrywając część jego tarczy. Szczególnie widowiskowe jest obrączkowe zaćmienie Słońca: kiedy Księżyc znajduje się bardzo daleko od Ziemi, wokół jego tarczy widać jasno świecącą krawędź Słońca.

Jak powstaje zaćmienie Słońca?

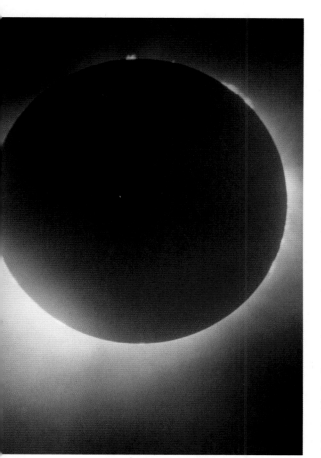

W czasie obrączkowego zaćmienia Słońca wokół tarczy Księżyca widać jasną obręcz.

To zaskakujące, ale częściej zdarzają się zaćmienia Słońca. W ciągu stu lat mamy do czynienia przeciętnie ze 150 zaćmieniami Księżyca i 240 zaćmieniami Słońca. Jednak zaćmienia Księżyca są widoczne dla ziemskich obserwatorów na większych obszarach, stąd wrażenie, że zjawisko to występuje częściej.

Co zdarza się częściej: zaćmienie Słońca czy zaćmienie Księżyca?

W żadnym wypadku nie należy patrzeć bezpośrednio na Słońce nieuzbrojonym okiem lub przez lornetkę. Mogłoby to doprowadzić do utraty wzroku. Do bezpiecznych obserwacji Słońca używa się specjalnych filtrów i folii, które nakłada się na teleskop. Jeszcze prostszym sposobem jest projekcja obrazu Słońca na białą płaszczyznę – dzięki temu Słońce może jednocześnie obserwować kilka osób.

Jak można obserwować Słońce?

Oczywiście, choć nie od razu. Aby dotrzeć do Ziemi, światło słoneczne potrzebuje 8 minut i 19 sekund. To znaczy, że to, co widzimy, jest obrazem Słońca sprzed ponad 8 minut.

Czy gdyby Słońce zgasło, zobaczylibyśmy to z Ziemi?

Jak zapamiętać kolejność planet?

Kolejność planet w Układzie Słonecznym można łatwo zapamiętać, powtarzając zdanie: „Mimo Wielu Znawców Mowy Jest Słoneczny Układ Nowy". Pierwsze litery tych słów są zarazem pierwszymi literami nazw kolejnych planet: Merkury, Wenus, Ziemia, Mars, Jowisz, Saturn, Uran i Neptun.

Dlaczego planety krążą w jednej płaszczyźnie?

Wynika to z historii Układu Słonecznego: materia, która pozostała po utworzeniu się Słońca, zgromadziła się wokół młodej gwiazdy w postaci płaskiej, obracającej się tarczy. Drobniutkie cząsteczki pyłu zaczęły się koncentrować i powstały zalążki planet. Niektóre z nich przekształciły się z czasem w autentyczne planety. Poruszają się one w dalszym ciągu w tej samej pierwotnej płaszczyźnie, i to w tę samą stronę. Dlatego wszystkie planety Układu Słonecznego krążą wokół Słońca w tym samym kierunku.

Dlaczego planety obracają się wokół własnej osi?

Na to pytanie nie ma jednoznacznej odpowiedzi. Prawdopodobnie jest to skutek kolizji, która wydarzyła się we wczesnej fazie istnienia Układu Słonecznego. Być może jednak planety zaczęły się obracać już w chwili swojego powstania. Doby o zróżnicowanej długości, występujące na poszczególnych planetach, pozwalają przypuszczać, że istnieje więcej niż jedna przyczyna ruchu obrotowego planet.

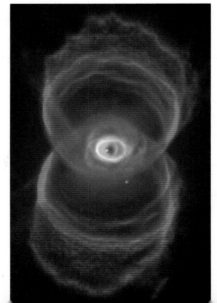

Mgławica planetarna MyCn 18, kształtem przypominająca klepsydrę, to młody obiekt, bardzo interesujący dla astronomów.

Wszystkie planety Układu Słonecznego oraz 4 księżyce Jowisza – zdjęcie skompilowane z fotografii zrobionych przez sondę Voyager.

Mgławice planetarne często nie mają nic wspólnego z planetami: czasami są to niezwykle barwne gwiazdy w końcowej fazie życia. Gdy gwiazda zużyje już całe paliwo, odrzuca część zewnętrznej otoczki w przestrzeń kosmiczną. Pozostaje jedynie rozżarzone jądro, tak zwany biały karzeł. Promieniowanie emitowane przez białego karła powoduje świecenie odrzuconej materii, czyli mgławicy.

Mimo intensywnych poszukiwań do tej pory nie dokonano takiego odkrycia. Problemem są kompletne ciemności spowijające zewnętrzne regiony Układu Słonecznego. Trudno cokolwiek tam dostrzec nawet przez duże teleskopy. Po zewnętrznej stronie orbity Neptuna istnieje jednak wiele obiektów transneptunowych, których nie uważamy za planety. W gronie planetoid znalazły się np. Eris i Pluton.

Każda z planet krąży wokół Słońca z inną prędkością. W trakcie pokonywania orbity prędkość ta może się również zmieniać. Nie jest ona mała; średnie prędkości osiągane przez planety wynoszą od 47,9 km/s w wypadku Merkurego do 5,43 km/s w wypadku Neptuna.

Wszystkie planety Układu Słonecznego krążą wokół Słońca w tym samym kierunku i niemal na tej samej wysokości.

Czy Merkury znajduje się daleko od Słońca i od Ziemi?

Ze względu na eliptyczny kształt orbity Merkurego jego odległość od Słońca bardzo się zmienia: minimalny dystans między tymi dwoma ciałami niebieskimi wynosi 40 mln km, maksymalny – aż 70 mln. Ziemia natomiast jest oddalona od Merkurego o 77–222 mln km, więc dystans dzielący Ziemię od Słońca jest przeciętnie 3 razy większy. Ponieważ Merkury znajduje się tak blisko Słońca, można go zobaczyć z powierzchni Ziemi tylko przez chwilę przed wschodem lub po zachodzie Słońca, najczęściej w mroku.

Mariner 10 nie jest jedyną sondą, która przesłała nam zdjęcia powierzchni Merkurego.

Jak duży jest Merkury?

Merkury ma średnicę 4880 km. To nieco więcej niż jedna trzecia średnicy kuli ziemskiej. Wszystkie planety w obrębie Układu Słonecznego, a nawet jeden z księżyców Jowisza, Ganimedes, są więc większe od Merkurego.

Jak wygląda powierzchnia Merkurego?

Powierzchnia Merkurego, gęsto usiana potężnymi kraterami, przypomina powierzchnię naszego Księżyca. Astronomowie przypuszczają, że od czasów, gdy powstał Merkury, jego powierzchnia nie uległa zbyt dużym zmianom.

11 marca 1973 r. sonda Mariner 10 rozpoczęła kosmiczną misję.

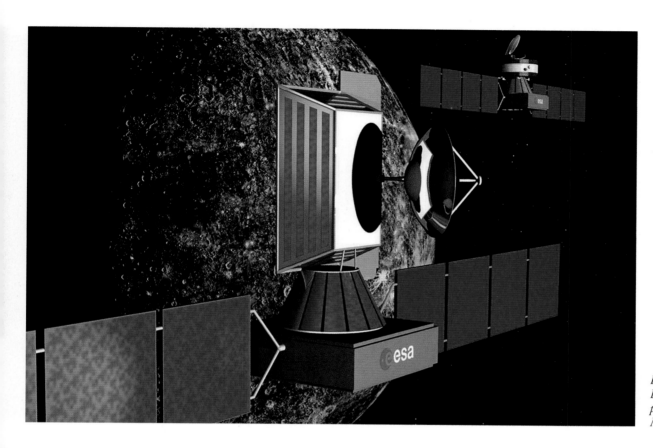

Europejska Agencja Kosmiczna ESA planuje na początku przyszłej dekady wysłać na Merkurego sondę Bepi Colombo.

Co Beethoven robi na Merkurym?

Można powiedzieć, że mieszka, nazwiskiem słynnego kompozytora nazwano bowiem największy na powierzchni Merkurego krater o średnicy 625 km. Również inne kratery noszą nazwy pochodzące od nazwisk twórców muzyki.

Jaka temperatura panuje na Merkurym?

Temperatura na Merkurym jest bardzo zmienna, m.in. wskutek braku atmosfery. Kiedy planeta znajdzie się blisko Słońca, po dziennej stronie temperatura może osiągnąć wartość nawet 430°C , podczas gdy po stronie nocnej jest o 610°C zimniej.

Na wykonanie jednego pełnego okrążenia wokół Słońca Merkury potrzebuje 88 ziemskich dób, natomiast jeden obrót wokół własnej osi planeta wykonuje w ciągu nieco ponad 58 dni. Trzy doby na Merkurym odpowiadają więc dokładnie dwóm merkuriańskim latom.

Światło potrzebuje 3,2 minuty na pokonanie odcinka dzielącego Słońce od Merkurego. Ponieważ Merkury znajduje się znacznie bliżej Słońca niż Ziemia, otrzymuje ok. 7 razy więcej światła słonecznego niż nasza ojczysta planeta.

W XIX w. astronomowie próbowali wytłumaczyć niezwykły kształt orbity Merkurego istnieniem nieodkrytej jeszcze planety, której nadano nazwę Wulkan. Jednak już na początku XX w. ta teoria została obalona.

Ile dni liczy rok na Merkurym?

Jak długo biegnie światło ze Słońca do Merkurego?

Czy istnieje planeta Wulkan?

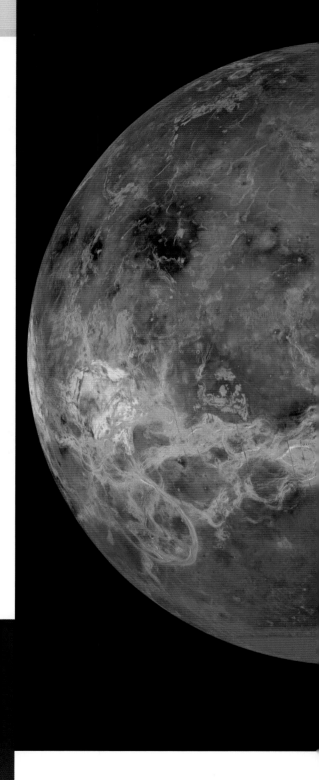

Jak daleko od Ziemi i Słońca znajduje się Wenus?

Wenus krąży wokół Słońca po niemal kołowej orbicie w odległości ok. 108 mln km. Odległość od Ziemi wynosi od 38 do 261 mln km.

Skąd pochodzi nazwa Wenus?

Wenus należy do tych planet, które były znane już w starożytności. Jest tak jasna, że nie da się jej przeoczyć. Jej nazwa pochodzi od rzymskiej bogini miłości.

Dlaczego nazywamy Wenus zarówno gwiazdą poranną, jak i wieczorną?

Po Słońcu i Księżycu to właśnie Wenus jest najjaśniejszym obiektem na niebie. Często pojawia się wczesnym rankiem albo wieczorem jako pierwszy jasno świecący punkt. W okresie największej jasności, przy bezchmurnym niebie, często można dostrzec Wenus nawet w biały dzień.

Jak duża jest Wenus?

Wenus jest tylko trochę mniejsza od Ziemi. Jej średnica na równiku wynosi nieco ponad 12 100 km. Wenus jest więc szóstą co do wielkości planetą Układu Słonecznego.

Sonda Mariner 1 startuje na pokładzie rakiety typu Atlas-Agena B do lotu na Wenus. Jednak już 5 minut po starcie rakieta zboczyła z ustalonego kursu i musiała zostać wysadzona.

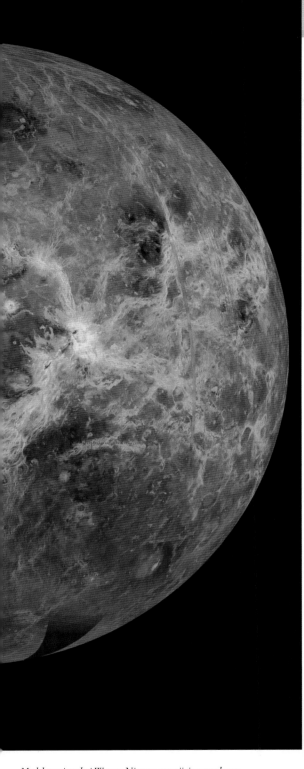

Powierzchnia Wenus wydaje się znacznie bardziej równa niż powierzchnia Ziemi. Badania prowadzone przy użyciu radarów wykazały, że na sąsiadującej z nami planecie występują tylko dwie wyżyny: Ziemia Afrodyty, wielkością zbliżona do ziemskiej Afryki, oraz Ziemia Isztar, mniej więcej wielkości Australii. Na Ziemi Isztar rozciągają się najwyższe góry na Wenus – Maxwell Montes.

Jak wygląda powierzchnia Wenus?

Na jedno okrążenie Słońca Wenus potrzebuje ok. 225 dni, natomiast na obrót wokół własnej osi 243 dni. To znaczy, że doba na Wenus trwa dłużej niż rok.

Czy doba na Wenus jest dłuższa niż rok?

Wenus otacza bardzo gęsta atmosfera, która powoduje, że na całej powierzchni tej planety panuje niezwykle wysoka temperatura. Na powierzchni wynosi ona ok. 465°C. Właśnie ze względu na gęstą atmosferę nie da się z Ziemi obserwować powierzchni Wenus przez zwykłe teleskopy.

Jak gorąco jest na Wenus?

To rzadko występujące zjawisko polega na przejściu widzianej z Ziemi Wenus nie za, lecz przed tarczą Słońca.

Co to jest tranzyt Wenus?

Model powierzchni Wenus. Niestety, spowijająca tę planetę atmosfera jest zbyt gęsta, by można było obserwować Wenus przez ziemskie teleskopy. Informacje na temat ukształtowania wenusjańskiego gruntu zostały zebrane przez sondy kosmiczne.

W 1962 r. sonda kosmiczna Mariner 2 przez kilka miesięcy krążyła wokół Wenus.

Jak duża jest Ziemia?

Średnica Ziemi, mierzona na równiku, wynosi 12 756 km. Na biegunach średnica Ziemi to 12 714 km. Kula ziemska nie stanowi więc doskonałej kuli, lecz jest nieco spłaszczona. Spłaszczenie to można uzasadnić ruchem obrotowym Ziemi. Ziemia jest mniejsza niż Neptun, Uran, Jowisz i Saturn, większa zaś od obu planet wewnętrznych oraz Marsa.

Jak daleko jest z Ziemi do Słońca?

Przeciętna odległość między Ziemią a Słońcem wynosi 149,6 mln km. Ziemia jest trzecią planetą Układu Słonecznego. Krąży wokół Słońca po lekko spłaszczonej orbicie i dlatego na początku stycznia znajduje się niemal 5 mln km bliżej Słońca niż na początku czerwca. Prędkość, z jaką Ziemia krąży wokół Słońca, wynosi niecałe 30 km/s.

Czy kiedyś doba była krótsza?

Tak, była. Wynika to z faktu, że Ziemia coraz wolniej kręci się wokół własnej osi. Jak wykazały badania, ok. 900 mln lat temu rok liczył 481 dni. Doba trwała wtedy 18 godzin.

Zdjęcie Ziemi wykonane w czasie wyprawy Apollo 17 w 1972 r. W gęstwinie chmur można łatwo odróżnić obszary niskiego i wysokiego ciśnienia.

Położone za zachodnim wybrzeżu Stanów Zjednoczonych miasto Los Angeles rozciąga się na powierzchni ponad 11 km².

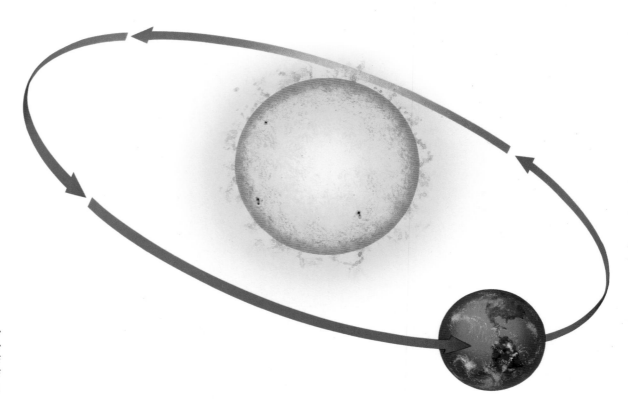

Ziemia okrąża Słońce po orbicie w kształcie jaja, co powoduje znaczne różnice w odległości między tymi dwoma ciałami niebieskimi.

Domyślna oś obrotu Ziemi nie tworzy kąta prostego z płaszczyzną, w której Ziemia obiega Słońce. Jest względem niej pochylona o blisko 23°. Ziemia krąży zatem wokół Słońca w lekko przechylonej pozycji, co powoduje, że raz do Słońca zwrócona jest półkula południowa, a raz północna. Na półkuli zwróconej w stronę Słońca panuje lato, na przeciwległej – zima. Kiedy u nas rozpoczyna się zima, w Australii trwają właśnie pierwsze dni lata.

Jak powstają pory roku?

Gdybyśmy mogli wykonać odwiert aż do wnętrza Ziemi, przeszlibyśmy przez rozmaite warstwy: najpierw przez skorupę Ziemi, która może mieć grubość do 40 km, natomiast pod dnem oceanów ma zaledwie 8 km grubości. Pod skorupą znajduje się płaszcz Ziemi grubości niemal 3000 km. W centrum Ziemi znajduje się najprawdopodobniej stałe jądro, które otacza płynne jądro zewnętrzne.

Jak wygląda wnętrze Ziemi?

Najwyższą górą na Ziemi jest Mount Everest w Himalajach. Ma wysokość 8850 m. Pierwszy człowiek wspiął się na jej szczyt w 1953 r.

Jak wysoka jest najwyższa góra na Ziemi?

Najgłębsze miejsce na dnie oceanu znajduje się na zachodnim Pacyfiku: Challenger Deep ma głębokość niemal 11 000 m. Jego nazwa pochodzi od brytyjskiego statku badawczego Challenger 2.

Jak głęboko leży najgłębszy punkt na dnie morskim?

Skorupa ziemska składa się z 8 dużych i kilku mniejszych płyt, przemieszczających się na płynnym płaszczu Ziemi, oddalających się od siebie i zderzających się ze sobą. Ruchy skorupy ziemskiej powodują naprężenia i na styku poszczególnych płyt występują zjawiska wulkaniczne i trzęsienia ziemi.

Skąd biorą się trzęsienia ziemi?

Ile lądów jest na Ziemi?

Większość powierzchni Ziemi pokrywa woda, tylko ok. 30% stanowią lądy. Obejmują one powierzchnię ok. 150 mln km².

Co to jest długość i szerokość geograficzna?

Mianem długości i szerokości geograficznej określamy linie naniesione na większości map i globusów dla ułatwienia orientacji. Linie z północy na południe to południki, wyznaczające długość geograficzną, a te ze wschodu na zachód, nazywane równoleżnikami, określają szerokość geograficzną. Stwierdzono, że południk zerowy przebiega przez dawne obserwatorium królewskie w Greenwich koło Londynu. Równoleżnik zerowy to równik.

Co to jest zorza polarna?

Zorzę polarną wywołują elektrycznie naładowane cząsteczki emitowane przez Słońce. Pod wpływem ziemskiego pola magnetycznego skręcają one w stronę biegunów. Tu mogą wnikać w atmosferę ziemską, w której zderzając się z obecnymi tam cząsteczkami materii, powodują typowe dla tamtych regionów świecenie. Zorzę polarną można obserwować przede wszystkim na Północy, natomiast na naszych szerokościach geograficznych takie zjawisko może wystąpić wyłącznie w czasie wzmożonej aktywności Słońca.

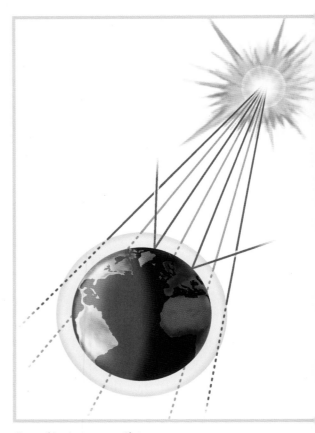

Cząsteczki emitowane przez Słońce docierają do Ziemi, powodując zjawisko zorzy polarnej.

Z ilu warstw składa się atmosfera?

Ziemską atmosferę dzielimy zasadniczo na 5 warstw: do wysokości 8–12 km rozciąga się troposfera. Powyżej, do wysokości ok. 50 km, znajduje się stratosfera, nad nią, do 85 km wysokości, rozciąga się mezosfera, a jeszcze wyżej – termosfera. Zewnętrzna warstwa atmosfery to egzosfera, znajdująca się powyżej 500 km nad powierzchnią Ziemi. W obrębie tych podstawowych warstw rozróżniamy jeszcze inne, cieńsze, takie jak jonosfera czy warstwa ozonowa.

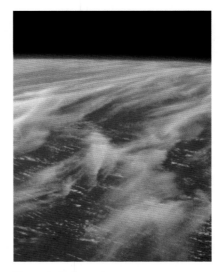

Tworzenie się chmur, obserwowane tym razem nie z Ziemi, lecz z kosmosu.

Gdzie tworzy się pogoda?

Zjawiska pogodowe powstają niemal wyłącznie w najniższej warstwie atmosfery, czyli troposferze, sięgającej do wysokości 8–12 km.

Atmosfera ziemska w 77% składa się z azotu, a w 21% z tlenu. Pozostałą część tworzą inne gazy, jak dwutlenek węgla czy para wodna. Dwutlenek węgla, choć jest go w atmosferze tak niewiele, odgrywa w niej bardzo ważną rolę: tak zwany efekt cieplarniany powoduje, że na powierzchni Ziemi utrzymuje się wyższa temperatura. Bez dwutlenku węgla w atmosferze średnia temperatura na Ziemi wynosiłaby zaledwie −21°C. Życie w znanej nam formie byłoby niemożliwe.

Na jakiej wysokości latają samoloty?

Duże samoloty latają na granicy troposfery i stratosfery, tj. na wysokości ok. 11 000 m. Dzięki temu, poza startem i lądowaniem, lot odbywa się niezależnie od warunków atmosferycznych. Jednakże ze względu na niskie ciśnienie samoloty muszą być wyposażone w kabiny ciśnieniowe.

Gdzie znajduje się warstwa ozonowa?

Warstwa ozonowa to obszar w obrębie stratosfery, rozciągający się na wysokości ok. 25 km. Występuje tam duża koncentracja ozonu – gazu, który ma zdolność pochłaniania niebezpiecznego promieniowania ultrafioletowego, pochodzącego z kosmosu. Dzięki niej do Ziemi dociera tylko niewielka, względnie niegroźna część tego promieniowania.

Co to jest dziura ozonowa?

Stwierdzono, że niektóre substancje zawarte w rozpylaczach i lodówkach mają zgubny wpływ na warstwę ozonową. Te tak zwane węglowodory fluorochlorowe (w skrócie: FCKW) powoli przenikają do warstwy ozonowej i niszczą ochronny gaz. To powoduje, że warstwa ozonowa staje się coraz cieńsza, a do powierzchni Ziemi dociera coraz więcej promieniowania ultrafioletowego. Jednym ze skutków powiększania się dziury ozonowej jest wzrost zachorowań na nowotwory skóry.

Jak powstaje przypływ i odpływ?

Dwa razy w ciągu doby poziom wód na wybrzeżach mórz podnosi się i opada. Zjawisko to nazywamy pływami. Powoduje je siła przyciągania Księżyca: na stronie zwróconej ku Księżycowi oraz na przeciwległej stronie Ziemi wody spiętrzają się, na pozostałych obszarach natomiast się cofają.

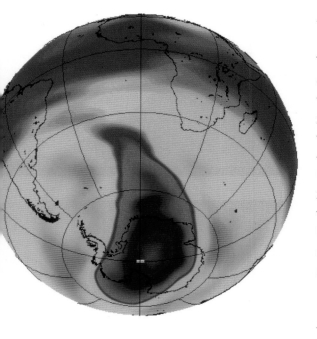

Za pomocą odpowiednich urządzeń można pokazać warstwę ozonową, będącą częścią atmosfery ziemskiej.

Kiedy przypływ jest szczególnie wysoki?

Spiętrzenia pływowe tworzą się nie tylko wskutek działania siły Księżyca, lecz także Słońca. Ponieważ jednak Słońce znajduje się dalej od Ziemi niż Księżyc, jego wpływ na poziom wód jest mniejszy. Jeśli jednak Słońce i Księżyc znajdą się w takim położeniu, że ich siły przyciągania wzajemnie się uzupełnią, może nastąpić szczególnie wysoki przypływ.

Jak powstał Księżyc?

Przypuszczalnie ok. 4,5 mld lat temu z Ziemią zderzył się obiekt wielkości mniej więcej Marsa. Odłamki będące pozostałościami tej planety i kawałki Ziemi utworzyły tarczę krążącą wokół Ziemi. Z tej materii powstał Księżyc.

Jak szybko Księżyc krąży wokół Ziemi?

Prędkość obiegu Księżyca wokół Ziemi wynosi ok. 1 km/s, a więc ok. 3600 km/h. Patrząc na układ Ziemia–Księżyc od góry, od strony bieguna północnego Ziemi, zobaczymy, że Księżyc okrąża Ziemię przeciwnie do ruchu wskazówek zegara.

Dlaczego oglądamy ciągle tę samą stronę Księżyca?

Z Ziemi widzimy cały czas tę samą stronę Księżyca, ponieważ obroty Księżyca wokół własnej osi dostosowały się do ruchu Księżyca wokół Ziemi. To znaczy, że w czasie pełnego obiegu Ziemi Księżyc wykonuje pełen obrót wokół własnej osi i dlatego z Ziemi oglądamy ciągle jedną stronę Księżyca.

Czym są fazy Księżyca?

W ciągu niecałego miesiąca Księżyc raz okrąża Ziemię. W tym czasie jest w różnym stopniu oświetlany przez Słońce: jeśli np. znajdzie się między Ziemią i Słońcem, widzimy jedynie „nocną" stronę Księżyca – jest nów.

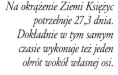

Na okrążenie Ziemi Księżyc potrzebuje 27,3 dnia. Dokładnie w tym samym czasie wykonuje też jeden obrót wokół własnej osi.

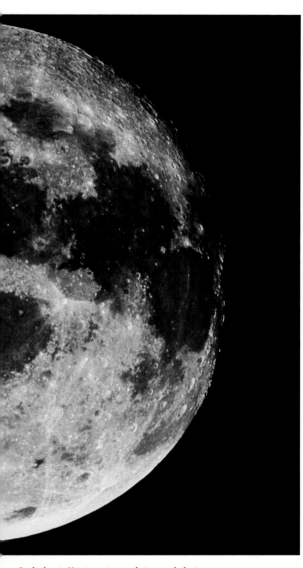

Pochodzenie Księżyca nie zostało jeszcze do końca wyjaśnione. Najbardziej prawdopodobna jest teoria, według której Księżyc został oddzielony od Ziemi wskutek potężnego uderzenia asteroidy.

W trakcie zaćmienia Księżyca Ziemia znajduje się między Słońcem a Księżycem w pełni, a on pozostaje wówczas całkowicie w cieniu Ziemi. Zaćmienia Księżyca obserwujemy wszędzie tam, gdzie Księżyc zdążył już wzejść.

Jak dochodzi do zaćmienia Księżyca?

Powodem jest kształt orbity, po której Księżyc okrąża Ziemię. Nie przebiega ona dokładnie w tej płaszczyźnie, w której Ziemia krąży wokół Słońca. Z tego samego powodu nie każdy nów jest połączony z zaćmieniem Słońca.

Dlaczego zaćmienia Księżyca nie zdarzają się co miesiąc?

Tak. Według najnowszych pomiarów promień orbity Księżyca zwiększa się co roku o 3,8 cm. Przyczyną takiego stanu są przypływy i odpływy mórz powodowane przez Księżyc.

Czy Księżyc oddala się od Ziemi?

Morzami nazywamy ciemniejsze obszary na powierzchni Księżyca, które pierwszym obserwującym je ludziom musiały nasunąć skojarzenia z połaciami wody. Nie mają one jednak nic wspólnego z morzami występującymi na Ziemi. Największym spośród księżycowych mórz jest Mare Imbrium, którego średnica wynosi 960 km. Najprawdopodobniej jest to krater powstały po zderzeniu z planetoidą.

Czym są morza księżycowe?

Jeśli Księżyc znajdzie się między Słońcem i Ziemią, mamy zaćmienie Słońca.

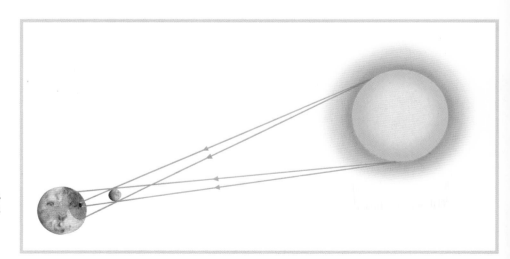

Jak daleko jest z Marsa do Słońca i Ziemi?

Mars znajduje się w odległości ok. 228 mln km od Słońca, co odpowiada 1,5 dystansu między Ziemią i Słońcem. Z Ziemi na Marsa, zależnie od aktualnej pozycji obu planet, jest 56–401 mln km.

Jak duży jest Mars?

Mars ma średnicę ok. 6800 km na równiku, jest więc o prawie połowę mniejszy od Ziemi.

Dlaczego Marsa nazywamy Czerwoną Planetą?

Wynika to z czerwonawego zabarwienia marsjańskiego gruntu. Skały na powierzchni Marsa zawierają sporo żelaza i dlatego zgromadziła się na nich rdza.

Skąd wzięła się nazwa Marsa?

Widoczny nieuzbrojonym okiem Mars był znany już starożytnym. Swoją nazwę, pochodzącą od rzymskiego boga wojny, planeta ta zawdzięcza prawdopodobnie czerwonemu zabarwieniu.

Jak długo trwa lot na Marsa?

Nawet w idealnych warunkach, to znaczy wtedy, gdy Mars i Ziemia znajdują się najbliżej siebie, lot na Marsa trwa ok. 6–7 miesięcy.

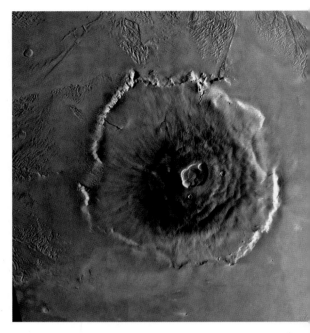

Olympus Mons to największy wulkan w Układzie Słonecznym. Ma ok. 26 km wysokości.

Start sondy kosmicznej Viking 1. Dotarła ona do Czerwonej Planety w połowie 1976 r.

Począwszy od czerwca 2004 r. europejska sonda Mars Express miała przez cały marsjański rok (687 dni) krążyć wokół Marsa, zbierając informacje o Czerwonej Planecie i przesyłając je na Ziemię. 19 września 2005 r. misja sondy została przedłużona i trwa nadal.

Co to jest Olympus Mons?

Znajdujący się na Marsie wulkan o nazwie Olympus Mons, mający 26 km wysokości, jest najwyższą znaną nam górą w Układzie Słonecznym.

Czym są kanały Schiaparellego?

W 1877 r. włoski astronom Schiaparelli odkrył tak zwane kanały marsjańskie – układ prostych, ciemnych linii, który przez wielu był uważany za dzieło istot pozaziemskich. Nowsze zdjęcia dostarczyły jednak dowodów, że – podobnie jak to było w przypadku słynnej marsjańskiej „twarzy" – mamy do czynienia ze złudzeniem optycznym.

Mars ma 2 księżyce o nazwach Phobos i Deimos. Oba są maleńkie – średnica większego z nich, Phobosa, sięga zaledwie 22 km. Prawdopodobnie oba księżyce Marsa to asteroidy, „przechwycone" przez Czerwoną Planetę z przestrzeni kosmicznej.

Ile księżyców ma Mars?

Phobos krąży wokół Marsa na wysokości niespełna 6000 km, jednak wysokość ta obecnie zmniejsza się ok. 1,8 m na każde sto lat. Naukowcy zakładają, że za mniej więcej 50 mln lat Phobos runie na powierzchnię Marsa.

Czy Phobos spadnie na Marsa?

Na Czerwonej Planecie, w porównaniu z Ziemią, jest raczej zimno: przeciętna temperatura na powierzchni Marsa wynosi ok. −65°C. Ale również tam występują pory roku z rozpiętością temperatur od −133°C do +27°C.

Jak gorąco jest na Marsie?

Jak wygląda powierzchnia Marsa?

Powierzchnia Marsa należy do najbardziej zróżnicowanych w całym Układzie Słonecznym: obok potężnych gór rozciągają się ogromne, głębokie nawet na 7 km doliny, wskutek silnych burz nieustannie zmienia się ukształtowanie gruntu, na biegunach czapy lodu przyrastają i topnieją zależnie od pory roku.

Czy na Marsie była woda?

Wielu naukowców wierzy, że w historii Marsa był taki czas, kiedy panował tam wilgotny klimat, istniały jeziora, a nawet morza. Potwierdzają to wyniki najnowszych badań oraz liczne formacje na powierzchni Marsa, przypominające wyschnięte koryta. Owa „mokra" era w historii Marsa zakończyła się prawdopodobnie już bardzo dawno temu, ale być może w marsjańskim gruncie do dziś zachowała się woda.

Czy na Marsie istniało bądź istnieje życie?

Jest mało prawdopodobne, by na Marsie jeszcze dziś istniało życie. Nie wiadomo natomiast, czy w ogóle w przeszłości występowały tam jakieś istoty żywe: wprawdzie w meteorytach pochodzących z Marsa znaleziono ślady przypominające pozostałości prymitywnych przejawów życia, ale zdaniem części naukowców nie jest to dowód na istnienie życia na Marsie.

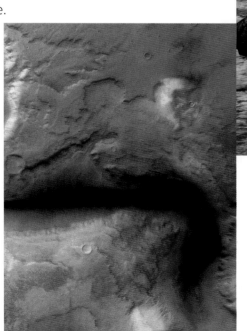

To zdjęcie pokazuje obszar o powierzchni ok. 1 mln km², noszący nazwę Reull Vallis. Zostało wykonane przez sondę kosmiczną Mars Express w 2004 r.

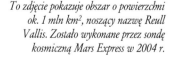

W 1965 r. sonda Mariner 4 wykonała pierwsze zdjęcia Marsa, a 6 lat później niepowodzeniem zakończyła się próba lądowania na Czerwonej Planecie rosyjskiej sondy Mars 2. Nowych zdjęć dostarczały kolejne sondy Viking. W 1997 r. sonda Pathfinder przewiozła pojazd marsjański Rover, po którym trafiły tam również Spirit, Opportunity, a w 2008 r. Phoenix. Europejska sonda Mars Express od 2003 r. krąży wokół Marsa i przesyła na Ziemię zdjęcia.

Jakie sondy dotarły do tej pory na Marsa?

Nikt nie potrafi tego powiedzieć. Dziś zakładamy, że nie stanie się to wcześniej niż w 2030 r.

Kiedy człowiek wyląduje na Marsie?

Być może będzie to kiedyś możliwe. Najpierw trzeba jednak zrozumieć, dlaczego historia Marsa przebiegała inaczej niż historia Ziemi. Dopiero wtedy będzie można spróbować odwrócić skutki tych procesów.

Czy można zamieszkać na Marsie?

Co 2 lata Ziemia i Mars znajdują się dość blisko siebie, co znacznie skraca czas podróży z Ziemi na Czerwoną Planetę. Ostatnie wyprawy na Marsa startowały w latach 1997, 1999, 2001, 2003, 2005 i 2007.

Kiedy odbyły się wyprawy na Marsa?

Amerykański łazik Spirit w czasie eksploracji Czerwonej Planety.

Marsjański grunt zawiera bardzo dużo żelaza, które nadaje Czerwonej Planecie charakterystyczne zabarwienie.

Jaka odległość dzieli Jowisza od Słońca i od Ziemi?

Jowisz znajduje się w odległości ok. 778 mln km od Słońca, czyli ponad 5 razy dalej niż Ziemia. Dystans między Ziemią i Jowiszem wynosi od 589 do 968 mln km.

Jak duży jest Jowisz?

Jowisz jest największą planetą w Układzie Słonecznym. Jego średnica na równiku wynosi ponad 142 000 km, to znaczy ponad 11 razy więcej niż średnica Ziemi. Masa Jowisza jest dwukrotnie większa od masy wszystkich pozostałych planet Układu Słonecznego razem wziętych.

Kto odkrył i nazwał Jowisza?

Po Słońcu, Księżycu i Wenus Jowisz jest czwartym najjaśniej świecącym obiektem na niebie. Znali go już starożytni. W rzymskiej mitologii Jowisz jest najważniejszym bogiem.

O ile większy musiałby być Jowisz, by stać się gwiazdą?

Aby być gwiazdą, Jowisz musiałby mieć tak wielką masę, by w jego wnętrzu zapanowała temperatura umożliwiająca fuzję jądrową. Ocenia się, że mogłoby do tego dojść, gdyby Jowisz miał masę prawie 80 razy większą od obecnej.

Niezliczone burze nadają powierzchni Jowisza niepowtarzalną strukturę.

Sonda kosmiczna Galileo potrzebowała ponad 7 lat, by dotrzeć do celu, którym był Jowisz.

Pasma chmur spowijających Jowisza wydają się dość stabilne i nie zmieniają swojego wyglądu nawet w ciągu dziesięcioleci.

Do Jowisza dotarło już wiele sond kosmicznych. Pierwszą z nich w 1973 r. był Pioneer 10, po nim wyruszył Pioneer 11 i dwie sondy Voyager oraz Ulisses. Sonda Galileo krążyła wokół Jowisza przez 8 lat.

Jakie sondy odwiedziły do tej pory Jowisza?

Jowisz potrzebuje na pełne okrążenie Słońca prawie 12 ziemskich lat. Obrót wokół własnej osi wykonuje w ciągu niecałych 10 godzin.

Jak długo trwa rok na Jowiszu?

Jowisz, tak samo jak pozostałe planety gazowe: Saturn, Uran i Neptun, nie ma stałej powierzchni. Planety te są zbudowane z gazów, których gęstość rośnie, im głębiej zanurzymy się w ich atmosferę. Przypuszczalnie Jowisz ma natomiast stałe jądro. Otacza je warstwa metalicznego, płynnego wodoru. Taka egzotyczna postać wodoru jest możliwa jedynie w warunkach ekstremalnie wysokiego ciśnienia, jakie tam panuje. Warstwa ta może być również odpowiedzialna za silne pole magnetyczne Jowisza. Z Ziemi możemy jednak zobaczyć jedynie warstwy chmur spowijające Jowisza.

Dlaczego Jowisza nazywamy planetą gazową?

Do tej pory nie zbadano zbyt dokładnie wnętrza Jowisza. Również niewielka sonda, wysłana z sondy Galileo do atmosfery Jowisza, przesłała dane jedynie z głębokości 150 km. Dalej ciśnienie było zbyt wielkie i sonda została zmiażdżona. Z tego powodu przeniknięcie do jądra czy nawet do głębszych warstw atmosfery planet gazowych nie jest możliwe.

Czy dałoby się wylądować na stałym jądrze Jowisza?

W 1992 r. kometa Shoemaker-Levy 9 zbytnio zbliżyła się do Jowisza i rozpadła się na co najmniej 21 kawałków, które między 16 i 22 czerwca 1994 r. spadły na powierzchnię Jowisza. Po raz pierwszy w historii naukowcy mogli śledzić przebieg kolizji dwóch obiektów w Układzie Słonecznym.

Jak doszło do kolizji Jowisza z kometą Shoemaker-Levy 9?

Z czego składa się atmosfera Jowisza i jakie panują tam temperatury?

Atmosfera Jowisza w przeważającej części składa się z wodoru. Przy górnej granicy chmur panuje temperatura −150°C. W atmosferze Jowisza szaleją wiatry o sile pięciokrotnie większej od siły ziemskich orkanów.

Co to jest Wielka Czerwona Plama?

Wielka Czerwona Plama to potężny układ burzowy na Jowiszu, który można obserwować już od kilku stuleci. Jest tak duży, że zmieściłyby się w nim dwie Ziemie. Istnieją również inne, mniejsze układy burzowe, które można śledzić przez wiele dziesięcioleci. Do dziś naukowcy nie mogą wyjaśnić, jak to się dzieje, że układy te są tak stabilne.

Ile księżyców ma Jowisz?

Obecnie znamy 63 księżyce Jowisza; w samym tylko 2003 r. odkryto 23 nowe księżyce. Często są to niewielkie bryły o średnicy zaledwie kilku kilometrów. Większość z nich to prawdopodobnie przechwycone asteroidy. Cztery największe księżyce Jowisza: Ganimedesa, Kallisto, Io i Europę odkrył już w 1610 r. Galileusz. Dlatego bywają one nazywane księżycami galileuszowymi.

Struktura gazowego Jowisza w dużym stopniu przypomina strukturę Słońca.

Dlaczego odkrycie 4 księżyców Jowisza było tak ważne?

Dokonane przez Galileusza odkrycie 4 księżyców krążących wokół Jowisza wywołało prawdziwą sensację. Większość ówczesnych ludzi, przede wszystkim przedstawicieli Kościoła, sądziła, że cały Wszechświat kręci się wokół centralnego punktu, jakim jest Ziemia. Odkrycie księżyców Jowisza uświadomiło im, że najwyraźniej istnieją też obiekty, których to nie dotyczy.

Który księżyc w Układzie Słonecznym jest największy?

Największym księżycem Układu Słonecznego jest Ganimedes, którego średnica ma 5262 km. Jest więc większy od Merkurego. Powierzchnię Ganimedesa pokrywa lód i liczne kratery.

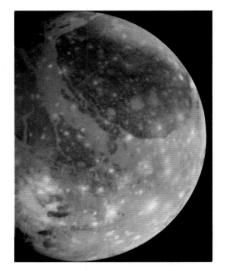

Jaśniejsze punkty na powierzchni Ganimedesa świadczą o niedawnych uderzeniach meteorytów.

Co jakiś czas ktoś twierdzi, że zaobserwował gołym okiem 4 największe księżyce Jowisza, ale właściwie jest to niemożliwe. Tak utrzymywały np. w XIX w. dwie siostry z Hamburga. Ich obserwacje wydawały się zawsze prawidłowe. Ale potem ktoś zauważył, że podawały pozycje księżyców w lustrzanym odbiciu, tak samo jak opisuje się je w tabelach astronomicznych dla teleskopów odwracających obraz, i oszustwo wyszło na jaw.

Księżyce Jowisza: Io, Europa, Ganimedes i Kallisto (od góry).

Zdjęcia wykonane przez sondę Galileo pokazują lodowatą, usianą bruzdami powierzchnię księżyca Jowisza – Europy. Poza tym sonda znalazła wskazówki świadczące o tym, że powierzchnia tego księżyca stale się zmienia. Przyczyną zmian może być znaczna siła przyciągania Jowisza, ale także innych księżyców, które zdają się wręcz rozrywać Europę. Być może w wyniku tych procesów wytwarza się wystarczająco dużo energii, aby stopić części skorupy pod powierzchnią i aby mogły się utworzyć oceany i morza.

Czy na Europie istnieje ocean?

To, że na Europie mogłaby znajdować się woda, wcale nie świadczy o tym, że istnieje tam życie. Jednak Europa jest jednym z tych miejsc w Układzie Słonecznym, gdzie przynajmniej istnieje możliwość rozwoju życia, nawet jeśli byłyby to formy prymitywne.

Czy na Europie istnieje życie?

Tak, na Io. Powierzchnia tego księżyca Jowisza różni się od powierzchni wszystkich innych ciał niebieskich w obrębie Układu Słonecznego: nie znajdziemy tam kraterów po uderzeniach meteorytów, więc księżyc ten musi być stosunkowo młody. Znaleziono natomiast ślady świadczące o aktywności wulkanicznej, a nawet zaobserwowano wybuchy wulkanów. Ze względu na niewielką siłę przyciągania materia erupcji wzbijała się w przestrzeń kosmiczną na wysokość 200 km.

Czy na księżycach Jowisza istnieją aktywne wulkany?

Również Jowisza otacza układ pierścieni, choć nie tak spektakularny jak pierścienie Saturna. Odkryła go dopiero sonda Voyager 1, a odkrycie to było ogromną niespodzianką.

Czy Jowisz też ma pierścienie?

Tak. Jowisza można dostrzec gołym okiem, a przez lornetkę widać 4 księżyce galileuszowe. Niewielki teleskop umożliwia obserwację na Jowiszu kilku pasm chmur oraz Wielkiej Czerwonej Plamy.

Czy można samodzielnie obserwować Jowisza i jego Księżyce?

Jak daleko od Słońca i Ziemi znajduje się Saturn?

Saturn jest oddalony od Słońca o ok. 1,4 mld km, czyli ok. 10 razy więcej niż Ziemia. Odległość od Ziemi wynosi, zależnie od momentu pomiaru, od 1,2 do 1,7 mld km.

Skąd wzięła się nazwa Saturn?

Również Saturn należy do planet, które były znane już w starożytności. Saturn w wierzeniach starożytnych Rzymian był bogiem rolnictwa i zasiewów.

Jak duży jest Saturn?

Saturn jest po Jowiszu drugą co do wielkości planetą w Układzie Słonecznym. Jego średnica wynosi ponad 120 000 km, to znaczy ok. 10 razy więcej niż średnica Ziemi. Jednak w zestawieniu z rozmiarami jego masa jest dość niewielka, bo wynosi zaledwie 95 razy więcej niż masa Ziemi. Jowisz, którego średnica jest tylko o ok. 20 000 km większa, ma natomiast masę trzykrotnie większą od masy Saturna.

Dlaczego Saturn jest taki spłaszczony?

Za pomocą teleskopu można wyraźnie zobaczyć spłaszczony kształt Saturna. Spłaszczenie, będące efektem silnej rotacji, jest charakterystyczną cechą również innych gazowych planet, nigdzie jednak nie jest aż tak wyraźne jak w przypadku Saturna.

Oś Saturna jest pochylona podobnie jak oś Ziemi, dlatego w czasie okrążania Słońca pierścień Saturna przechyla się to w jedną, to w drugą stronę.

Pierwszą sondą, która odwiedziła Saturna, był w 1979 r. Pioneer 11, później dotarły tam również Voyager 1 i 2. Europejsko-amerykańska sonda Cassini-Huygens weszła na orbitę wokół Saturna 1 lipca 2004 r. Sonda Huygens wylądowała na księżycu Saturna, Tytanie, 14 stycznia 2005 r.

Które sondy dotarły do Saturna?

Saturn jest zbudowany z bardzo rzadkiej materii, rzadszej nawet niż woda, i jest w całym Układzie Słonecznym planetą o najmniejszej gęstości.

Dlaczego Saturn jest taki lekki?

Tak, Jowisz i Saturn mają bardzo podobną budowę. Oba są planetami gazowymi i nie mają stałej powierzchni. Głęboko w atmosferze Saturna również może się znajdować stałe jądro. Otacza je – podobnie jak w wypadku Jowisza – warstwa metalicznego wodoru.

Czy Saturn budową przypomina Jowisza?

Tak, ale pasma chmur, które czynią obserwacje Jowisza tak interesującymi, na Saturnie są słabiej wykształcone. Nie da się obserwować szczegółów struktury chmur, porównania z Jowiszem stały się więc możliwe dopiero po wysłaniu na tę planetę sond Voyager. Na Saturnie znaleziono również długie i stabilne układy burzowe, przypominające Wielką Czerwoną Plamę na Jowiszu.

Czy Jowisza też spowijają chmury i czy szaleją tam burze?

Duża zawartość metanu w atmosferze odpowiada za niezwykle łagodne przepływy barw na powierzchni Saturna.

Zorzę polarną można zaobserwować nie tylko na Ziemi, lecz także na innych planetach.

Ile księżyców ma Saturn?

Obecnie znamy 60 księżyców Saturna i – podobnie jak w przypadku Jowisza – w ostatnich latach odkryto prawie połowę z nich. Największy księżyc, Tytan, ma średnicę 5150 km i został odkryty już w 1655 r. przez Huygensa. Drugi co do wielkości księżyc, o nazwie Rhea, ma średnicę zaledwie 1530 km. Odkrył go Cassini w 1672 r.

Dlaczego Tytan jest jedyny w swoim rodzaju?

Tytan jest zdecydowanie największym księżycem Saturna. Jego średnica przewyższa średnicę Merkurego i jest znacznie większa od średnicy Plutona. Poza tym Tytan to w Układzie Słonecznym jedyny księżyc otoczony gęstą atmosferą.

Czy na Tytanie może istnieć życie?

Tego nie wiemy, ale skład atmosfery Tytana jest w pewnym stopniu zgodny z warunkami, które musiały panować na Ziemi, gdy zaczęły się na niej tworzyć pierwsze formy życia. Od czasu, gdy na Tytanie w 2005 r. wylądowała sonda Huygens, wielu naukowców analizuje nadesłane przez nią informacje.

Skonstruowana w ESA sonda Huygens przesłała na Ziemię pierwsze informacje z powierzchni księżyca Saturna, Tytana, w 2005 r.

Między poszczególnymi pierścieniami Saturna wyraźnie widoczna jest luka nazywana przerwą Cassiniego.

Saturn i niektóre z jego księżyców na zdjęciu będącym kompilacją fotografii wykonanych przez sondę Voyager.

Co to są księżyce-owczarki?

Nazwano je tak przez analogię do psów pasterskich pilnujących stada. Saturn ma aż 8 księżyców, których orbity przebiegają w obrębie pierścieni lub na ich skraju. Np. Pandora i Prometeusz krążą wokół Saturna po obu stronach pierścienia F. Średnica księżyców wynosi mniej niż 50 km. Odkryto je dopiero w 1980 r.

Czy można samodzielnie obserwować Saturna i jego księżyce?

Tak. Saturna bez problemu daje się dostrzec nieuzbrojonym okiem na nocnym niebie, a posługując się teleskopem, można obserwować pierścienie i większe księżyce.

Wkrótce po wynalezieniu lunety astronomowie zwrócili uwagę na dziwaczne wybrzuszenia widoczne na Saturnie, jednak dopiero w 1656 r. Christian Huygens zorientował się, że mamy do czynienia ze swobodnie unoszącym się pierścieniem. Od tego czasu Saturn bywa nazywany planetą pierścieni.

Pierścienie Saturna składają się z drobnych odłamków, pyłu i kawałków lodu, krążących po orbicie wokół planety. Ich średnica prawdopodobnie nie przekracza 10 m. Same pierścienie są bardzo wąskie i nie grubsze niż 1 km.

Przerwą Cassiniego nazywamy ciemną linię na pierścieniach Saturna, odkrytą przez astronoma Cassiniego w 1675 r. Jest to luka szerokości 4500 km pomiędzy dwoma z trzech pierwszych pierścieni Saturna, jakie widzimy z Ziemi.

Dlaczego Saturn bywa nazywany planetą pierścieni?

Z czego są zbudowane pierścienie Saturna?

Co to jest przerwa Cassiniego?

Jak daleko od Słońca i Ziemi leży Uran?

Średnia odległość między Uranem i Słońcem wynosi 2,9 mld km. To 19-krotnie więcej niż odległość między Ziemią i Słońcem. Od Ziemi Urana dzieli dystans od 2,6 do 3,2 mld km.

Czy Uran leży na boku?

Tak. Rzeczywiście Uran leży na boku. Oś rotacji pozostałych planet jest mniej więcej prostopadła do domyślnej płaszczyzny, w której planeta porusza się wokół Słońca. Oś rotacji Urana natomiast leży dokładnie w tej płaszczyźnie. W związku z tym obszary okołobiegunowe otrzymują więcej energii słonecznej niż tereny wokół równika. Ale, co może wydawać się dziwne, na równiku na Uranie jest prawdopodobnie cieplej niż w innych regionach. Nie zdołano jeszcze wyjaśnić, dlaczego tak się dzieje.

Jak długo trwa rok na Uranie?

Uran wykonuje pełen obrót wokół własnej osi w ciągu ponad 17 godzin, natomiast na okrążenie Słońca potrzebuje niemal dokładnie 84 lat.

Jak duży jest Uran?

Mierzona na równiku średnica Urana wynosi ok. 51 000 km, jest więc ok. 4 razy większa niż średnica Ziemi.

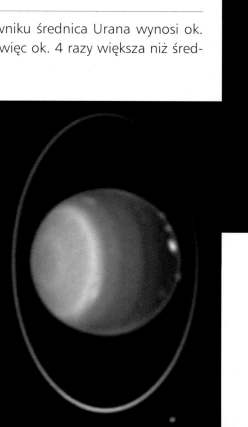

Pochylona o niemal 100° oś rotacji Urana to w Układzie Słonecznym zjawisko niepowtarzalne.

Do tej pory do Urana dotarła jedynie sonda Voyager 2. Przeleciała ona obok tej gazowej planety 24 stycznia 1986 r.

Które sondy dotarły do Urana?

Tak. Od czasu, kiedy do Urana dotarła sonda Voyager 2, wiemy, że ma on przynajmniej jedenaście pierścieni, niektóre kilkusetmetrowej szerokości. Pierścienie są zbudowane z drobnych ciemnych cząsteczek o średnicy zaledwie kilku centymetrów. Pierścienie Urana były pierwszymi, które odkryto w następnej kolejności po pierścieniach Saturna. Wiedziano już wtedy, że nie są one cechą charakterystyczną wyłącznie Saturna.

Czy Uran też ma pierścienie?

Tak, można, o ile panują idealne warunki. Jeśli wiemy, gdzie należy szukać Urana, niewielka lornetka znacząco zwiększy nasze szanse.

Czy Urana można dostrzec nieuzbrojonym okiem?

Obecnie znamy 27 księżyców Urana. Niektóre z nich są całkiem małe; ich średnica nie przekracza 100 km. Największy księżyc Urana nosi nazwę Tytania i ma średnicę niemal 1600 km.

Ile księżyców ma Uran?

Uran to stosunkowo niepozorna planeta i jego obserwacja nie jest łatwym zadaniem. Astronomowie amatorzy poświęcają mu więc niewiele uwagi.

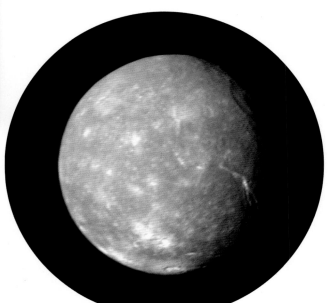

Największym i najbardziej znanym księżycem Urana jest Tytania.

Jak daleko od Słońca i Ziemi znajduje się Neptun?

Przeciętna odległość między Neptunem i Słońcem wynosi 4,5 mld km; to 30 razy tyle, ile wynosi odległość między Ziemią i Słońcem. Ziemię dzieli od Neptuna dystans 4,3 do 4,7 mld km. Ponieważ orbity Plutona i Neptuna krzyżują się, przez kilka lat Neptun znajduje się jeszcze dalej od Słońca niż Pluton.

Jak duży jest Neptun?

Neptun ma średnicę ok. 50 000 km, jest więc prawie czterokrotnie większy niż Ziemia. Neptun to czwarta co do wielkości planeta Układu Słonecznego.

Kto odkrył Neptuna i kto nadał mu nazwę?

Pierwszy raz Neptuna zaobserwowali 23 września 1846 r. Johann Gottfried Galle i Heinrich Louis d'Arrest. Odkrycie nie było jednak w żadnym razie dziełem przypadku. Już wiele lat wcześniej przypuszczano, że za orbitą Urana znajduje się jeszcze jedna planeta. Pozycję Neptuna określili niezależnie od siebie Urbain Leverrier i John Couch Adams. Nazwa Neptuna pochodzi od rzymskiego boga mórz.

Na Neptunie, podobnie jak na Jowiszu, również znaleziono potężny ośrodek burzowy. Tymczasem zdążył on już się rozpłynąć.

Najchłodniejszym ciałem niebieskim w Układzie Słonecznym jest Tryton, księżyc Neptuna. Panują tam temperatury nieznacznie przekraczające zero absolutne.

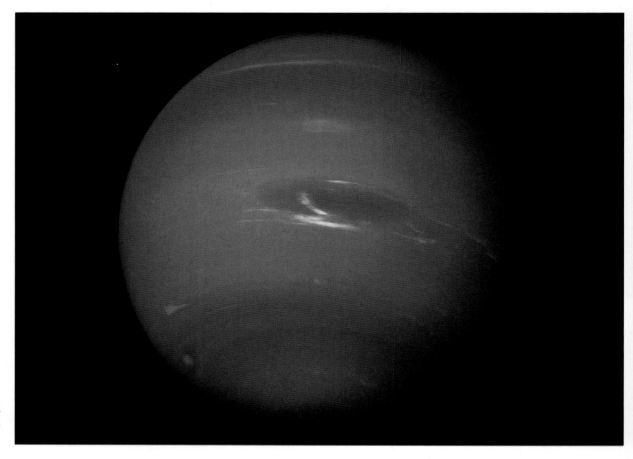

Mimo bardzo jasnej barwy, chmury spowijające Neptuna nie składają się z pary wodnej, lecz z zamarzniętego metanu.

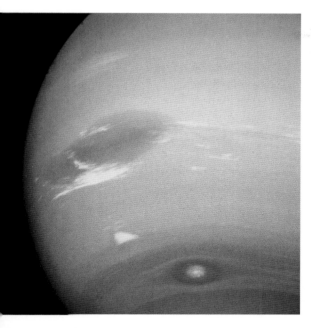

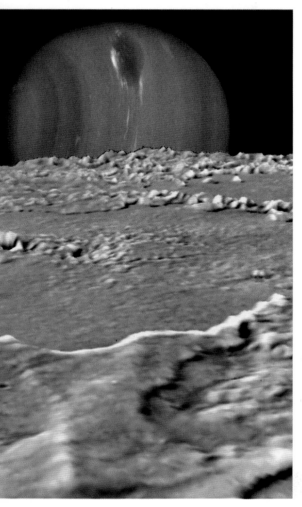

Na pełne okrążenie Słońca Neptun potrzebuje niemal 165 lat, natomiast obrót wokół własnej osi wykonuje w ciągu nieco ponad 16 godzin.

Jak długo trwa doba na Neptunie?

Do Neptuna dotarła do tej pory tylko jedna sonda: 25 sierpnia 1989 r. sonda Voyager 2 przeleciała w odległości zaledwie 4905 km od górnej granicy chmur spowijających Neptuna.

Które sondy dotarły do Neptuna?

Tak, ale trzeba dokładnie wiedzieć, gdzie znajduje się ta planeta. Aby zobaczyć coś więcej niż tylko małą tarczę, potrzeba dużego teleskopu.

Czy można dostrzec Neptuna przez lornetkę?

Do tej pory odkryto 13 księżyców Neptuna. Największy z nich, Tryton, był znany już w 1846 r., Nereid odkryto w 1949 r., a 6 kolejnych w 1989 r., w czasie misji sondy Voyager 2. Pozostałe księżyce zaobserwowano dopiero w ostatnich latach. Niewykluczone, że w najbliższym czasie zostaną odkryte kolejne. Tryton obraca się w przeciwną stronę niż wszystkie pozostałe księżyce Neptuna i naukowcy przypuszczają, że jest to obiekt przechwycony niegdyś przez Neptuna. To w przypadku tak dużego księżyca sytuacja wyjątkowa.

Ile księżyców ma Neptun i czym wyróżnia się Tryton?

Neptun jest planetą gazową. Przypuszczalnie ma stałe jądro zbudowane ze skał, ale otacza je warstwa gęstej atmosfery, zawierającej przede wszystkim wodór. Pod jej wpływem we wnętrzu planety wytwarza się gigantyczne ciśnienie, uniemożliwiające prowadzenie jakichkolwiek badań. Na pierwszych zdjęciach przesłanych przez sondę Voyager 2 Neptun wydaje się niemal niebieski. Prawdopodobnie jest to skutek obecności metanu w atmosferze. Warunki panujące na Neptunie są bardzo trudne: szaleją tam przypuszczalnie najbardziej gwałtowne burze w całym Układzie Słonecznym.

Jak zbudowany jest Neptun i dlaczego wydaje się niebieskawozielony?

Jak daleko jest z Plutona do Słońca i Ziemi?

Planetoida Pluton jest oddalona od Słońca przeciętnie o 5,9 mld km. To niemal 40-krotnie więcej niż wynosi odległość między Ziemią a Słońcem. Jednak Pluton krąży wokół Słońca po bardzo eliptycznej orbicie. Dystans między nim a Ziemią waha się więc między 4,3 a 7,5 mld km.

Czy Pluton może zderzyć się z Neptunem?

Orbita Plutona na pewnym niewielkim odcinku przebiega po wewnętrznej stronie orbity Neptuna. To znaczy, że co jakiś czas Neptun znajduje się nieco dalej od Słońca niż Pluton. Oba ciała niebieskie jednak nigdy się nie zderzą, ponieważ ich orbity znajdują się w tak zwanym rezonansie 3 : 2. To znaczy, że 3 okrążenia Neptuna odpowiadają dokładnie 2 okrążeniom Plutona. W związku z tym dystans między oboma ciałami niebieskimi nigdy nie spada poniżej 2,7 mld km.

Czy Pluton został odkryty przypadkiem?

Astronomowie już dawno przypuszczali, że na zewnątrz orbity Neptuna znajduje się jeszcze jedna planeta. Próbowali obliczyć jej pozycję z niewielkich odchyleń torów Urana i Neptuna. Na podstawie tych danych 18 stycznia 1930 r. Clyde W. Tombaugh odkrył planetę, która otrzymała nazwę od rzymskiego boga podziemi Plutona. Po fakcie okazało się jednakże, że obliczenia były błędne.

Jak długo trwa rok na Plutonie?

Na pełne okrążenie Słońca Pluton potrzebuje niemal 248 lat. Doba na Plutonie trwa sześć razy dłużej niż na Ziemi.

Czy istnieją księżyce większe od Plutona?

Tak. Pluton to jedno z tych ciał niebieskich w Układzie Słonecznym, które określamy jako planetoidy lub asteroidy. Jego średnica wynosi zaledwie 2274 km. Rozmiarami przewyższa go więc aż siedem księżyców: nasz Księżyc, 4 księżyce Jowisza: Io, Europa, Ganimedes i Kallisto, księżyc Saturna Tytan i księżyc Neptuna Tryton.

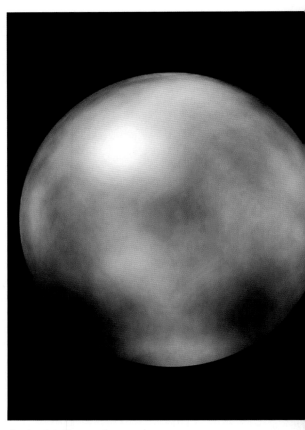

Powierzchnię Plutona pokrywa gruba warstwa lodu zawierającego wodę i metan.

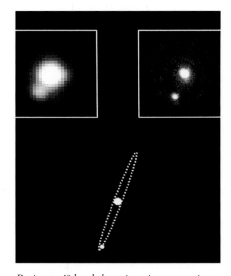

Dopiero po 40 latach dostrzeżono, że to, co uważano za planetę o nazwie Pluton, w rzeczywistości tworzą dwa ciała niebieskie.

Pluton wykazuje zdumiewające podobieństwa do Trytona, księżyca Neptuna. Już dawno temu astronomowie przypuszczali więc, że Pluton i Tryton mogą mieć wspólną historię. Niektórzy z nich spekulowali nawet, że Pluton mógł być niegdyś księżycem Neptuna, ale ta teoria nie ma już dzisiaj zwolenników. Możliwe natomiast, że Tryton, podobnie jak dziś Pluton, niezależnie krążył wokół Słońca.

Od sierpnia 2006 r. Pluton jest zaliczany do grona planetoid, podobnie jak np. Eris czy Ceres. Na zewnątrz orbity Plutona odkryto bowiem szereg innych obiektów o rozmiarach porównywalnych z Plutonem i większych od Eris. Te ciała niebieskie nazywamy obiektami transneptunowymi. Znajdują się one w tak zwanym pasie Kuipera. Pod względem pochodzenia Pluton jest właśnie takim obiektem transneptunowym. Tym samym Międzynarodowa Unia Astronomiczna zakończyła trwającą od wielu lat dyskusję, odbierając Plutonowi status planety.

Dlaczego Plutonowi odebrano status planety?

Nawet na zdjęciach wykonanych przez teleskop kosmiczny Hubble'a Pluton i Charon tworzą zaledwie zamazane kropki.

Ponieważ do Plutona nie dotarła do tej pory żadna sonda kosmiczna, nie wiemy zbyt dużo na temat jego powierzchni. Prawdopodobnie jest zbudowana z zamarzniętych gazów. Panują tam temperatury do −230°C.

Jak wygląda powierzchnia Plutona?

Dopiero w 1978 r. odkryto, że wokół Plutona krąży księżyc – Charon. Przedtem uważano, że te dwa obiekty stanowią jedno ciało niebieskie, które wydawało się dzięki temu znacznie większe.

Dlaczego długo myślano, że Pluton jest większy?

Charon ma średnicę niemal 1200 km, a to więcej niż połowa średnicy Plutona. Żaden księżyc nie jest tak duży w zestawieniu z planetą. W 2005 r. odkryto dwa kolejne, znacznie mniejsze księżyce Plutona, nazwane Nix i Hydra.

Czym wyróżnia się Charon?

Charon okrąża Plutona po orbicie kołowej w odległości ok. 19 400 km. Na jedno okrążenie potrzebuje 6,387 dnia. Tym samym jedno okrążenie Plutona przez Charona trwa dokładnie tyle, ile obrót Plutona wokół własnej osi. To znaczy, że Pluton i Charon są do siebie zwrócone zawsze tą samą stroną.

Dlaczego układ Pluton–Charon jest tak niezwykły w obrębie Układu Słonecznego?

Co to jest pas asteroid?

Mianem pasa asteroid określamy obszar między Marsem i Jowiszem, w którym znajduje się szczególnie dużo asteroid. Do tej pory zaobserwowano wiele tysięcy takich drobnych ciał niebieskich. Niektóre z nich krążą po orbitach wychodzących miejscami poza obszar pomiędzy orbitami Jowisza i Marsa.

Co to jest policja kosmiczna?

Naukowcy długo szukali jeszcze jednej planety w obszarze między Marsem i Jowiszem. W 1800 r. astronomowie zebrali się, aby wspólnie prowadzić systematyczne poszukiwania owej nieodkrytej jeszcze planety. Nazwano ich policją kosmiczną. Jednak jeszcze zanim grono to przystąpiło do właściwej pracy, odkryto największe ciało niebieskie w pasie asteroid i nadano mu nazwę Ceres.

Co to jest Ceres?

Ceres to nie tylko pierwszy obiekt, który odkryto w obrębie pasa asteroid, lecz także największy z nich. Jego średnica wynosi ok. 1000 km. Przy takich rozmiarach Ceres może zawierać ok. jednej trzeciej łącznej masy wszystkich asteroid w obrębie pasa. Ceres wykonuje obrót wokół własnej osi w czasie nieco ponad 9 godzin. Na okrążenie Słońca potrzebuje 4,6 roku.

Rozmiary obiektów przechwyconych w pasie asteroid wahają się od ziarnka pyłu do średnicy 1000 km – taką średnicę ma Ceres.

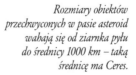

Pas Kuipera to strefa położona poza orbitą Neptuna w odległości 30- – 100-krotnie większej niż wynosi odległość z Ziemi do Słońca. W tej strefie znajdują się niezliczone zlodowaciałe odłamki skalne, które od czasu do czasu są wyrzucane z orbit i w postaci komet trafiają w pobliże Słońca i Ziemi.

Co to jest pas Kuipera?

Tak, np. asteroida Eugenia ma niewielki księżyc o średnicy ok. 13 km.

Czy asteroidy też mogą mieć księżyce?

Nie, nie ma, choć w kosmicznej wędrówce towarzyszy jej jeszcze jedno ciało niebieskie: 3753 Cruithine. Kilka lat temu naukowcy odkryli, że asteroida, którą zauważyli już jakiś czas temu, krąży po orbicie okołoziemskiej. W czasie gdy znajduje najbliżej Ziemi, dzieli ją od nas dystans ok. 15 mln km (ok. 40 razy więcej, niż wynosi odległość z Ziemi do Księżyca), gdy jest najdalej, odległość ta zwiększa się do 375 mln km.

Czy Ziemia ma jeszcze jeden księżyc?

Tak, mogą. Na przykład w marcu 2004 r. w odległości zaledwie 43 000 km od Ziemi, a więc wyraźnie po wewnętrznej stronie orbity Księżyca, przeleciał odłamek skalny o średnicy ok. 30 m.

Czy asteroidy mogą zbliżyć się do Ziemi?

Pas asteroid rozciąga się między Marsem i Jowiszem. Znajdziemy w nim wiele drobnych ciał niebieskich, nazywanych planetoidami albo asteroidami.

Planetoida o nazwie Ida ma długość ok. 52 km. Prawdopodobnie powstała w wyniku zderzenia dwóch większych planetoid.

Jaka jest różnica między meteorytem, meteorem i kometą?

Ze względu na swą budowę komety są często nazywane „brudnymi kulami śnieżnymi". Krążą one wokół Słońca po długich orbitach. Meteorytami nazywamy odłamki skalne, które spadły na Ziemię. Zjawisko świetlne, które powstaje przy tym na niebie, nosi nazwę meteoru.

Dlaczego dawniej ludzie obawiali się komet?

Dawno temu ludzie postrzegali rozmaite zjawiska na niebie jako znaki od bogów. Nagłe pojawienie się komety było uważane za zwiastun klęski głodu lub zarazy.

Skąd wziął się termin *kometa*?

Słowo *kometa* pochodzi z języka greckiego i znaczy „długowłosy" albo „włochaty". Chodzi o ogon komety, nazywany też warkoczem, który może nasuwać takie skojarzenia.

Uderzenie meteorytu wyrywa głęboki krater w powierzchni Ziemi, siejąc spustoszenie w okolicy.

Dlaczego warkocz komety jest zwrócony w stronę przeciwną do Słońca?

Warkocz komety powstaje wtedy, gdy „brudna kula śnieżna" tak bardzo zbliży się do Słońca, że materia tworząca jej powierzchnię zaczyna się topić. Wiatr słoneczny unosi te cząsteczki, dlatego warkocz komety zawsze jest zwrócony w stronę przeciwną do Słońca.

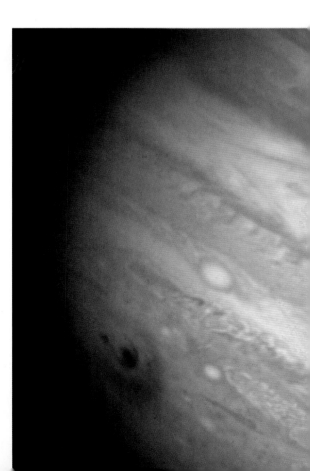

Jowisz po zderzeniu z fragmentem komety Shoemaker-Levy 9.

W 1997 r. przez Układ Słoneczny przeleciała kometa Hale-Bop. Jej jądro jest niemal trzykrotnie większe od jądra komety Halleya.

Który meteoryt jest największy?

Największy meteoryt znaleziono na farmie Hoba w Namibii, w Afryce. Ma on wymiary 2,05 × 2,84 × 1,25 m i waży ok. 60 ton.

Co to jest katastrofa tunguska?

30 czerwca 1908 r. w środkowej Syberii, w okolicach rzeki Podkamienna Tunguzka, kilka kilometrów nad powierzchnią Ziemi eksplodował prawdopodobnie obiekt o średnicy ok. 100 m. Fala uderzeniowa wywołana wybuchem zmiotła z ziemi las na powierzchni ok. 1200 km².

Ocenia się, że codziennie na powierzchnię Ziemi trafiają meteoryty o łącznej masie 40 ton. Większość z nich to drobinki o średnicy poniżej 1 milimetra.

Jak wiele meteorytów spada codziennie na Ziemię?

Tak. Zdaniem większości badaczy w dzielnicy Poznania Morasko znajdują się kratery powstałe w wyniku upadku meteorytu Morasko. Od 1976 r. w tym miejscu znajduje się rezerwat przyrodniczo-astronomiczny.

Czy w Polsce są kratery po uderzeniach meteorytów?

To całkiem prawdopodobne: naukowcy zakładają, że przeciętnie co 100 lat na Ziemię spada obiekt o średnicy ponad 50 m. Kolizje z obiektami, których średnica przekracza 1 km, zdarzają się jednak najwyżej raz na 100 000 lat.

Czy dziś meteoryt może spaść na Ziemię?

PODBÓJ KOSMOSU

Od pierwszego pomysłu wyprawy na Księżyc w XIX w. do udanej misji Apollo 11 w 1969 r. upłynęło nie więcej niż 100 lat. Postęp w dziedzinie podboju kosmosu jest gigantyczny. Dziś trudno sobie wyobrazić życie bez tego, co człowiek osiągnął w kosmosie. Gdyby na orbicie okołoziemskiej nie pojawiły się satelity, nie byłoby ani transmisji telewizyjnych, ani nowoczesnych prognoz pogody. Ludzkość nie osiągnęłaby tak wiele, gdyby nie wysiłek ludzi, którzy ryzykowali własnym życiem w służbie nauki i czasem rzeczywiście swoje poświęcenie przypłacali życiem. Tragiczne katastrofy, które zdarzają się co jakiś czas, uświadamiają nam, że podróż w kosmos dalej jest dla ludzkości przygodą.

Kto używał pierwszych rakiet?

Chińczycy w czasie wojen i na specjalne okazje używali prymitywnych rakiet, tak zwanych ognistych strzał. Ich pierwsze zastosowanie odnotowano w 1232 r. podczas oblężenia miasta Kai-fung-fu.

Kto opisał pierwszą rakietę wielostopniową?

Około 40 lat temu w jednym z archiwów znaleziono stary rękopis z 1562 r., sporządzony przez artylerzystę Conrada Haasa. Opisał on tam ze szczegółami rozmaite typy rakiet wielostopniowych.

Kto pierwszy wpadł na pomysł, by polecieć rakietą w kosmos?

Już pisarz Juliusz Verne w jednej ze swych książek opisał podróż na Księżyc, jednak środkiem umożliwiającym taką misję była tam armata. Dopiero Rosjanin Konstanty Ciołkowski zaczął się zastanawiać, czy do podróży w kosmos można byłoby wykorzystać rakietę.

Kto skonstruował pierwszą nowoczesną rakietę?

Amerykanin Robert H. Goddard uchodzi za ojca nowoczesnej techniki rakietowej: skonstruował pierwszą rakietę napędzaną paliwem płynnym i 16 marca 1926 r. poddał ją testom, które zakończyły się sukcesem.

Czy w Polsce również wystrzeliwano rakiety?

Tak. Już w latach 60. XX w. na terenie Pustyni Błędowskiej wykonano wiele prób z rakietami meteorologicznymi pod kierunkiem dr. Jacka Walczewskiego. Wystrzeliwane rakiety osiągały pułap kilku tysięcy metrów.

Technologia rakietowa, przejęta po klęsce Trzeciej Rzeszy, stała się podstawą amerykańskiego programu podboju kosmosu. Ostatnie wykonane modele rakiety V2 (na zdjęciu) w dużej mierze stanowiły już dojrzałe rozwiązania techniczne.

Pierwsze sukcesy amerykańskiego programu rakietowego przyniosły rakiety typu Juno. Na zdjęciu Juno 2 z 1959 r., wynosząca satelitę w przestrzeń kosmiczną.

W Niemczech w okresie III Rzeszy w miejscowości Peenemünde na wyspie Uznam prowadzono doświadczenia z rakietami V1 i V2. Przez kolejne lata wykonano wiele prób, których nadrzędnym celem nie był jednak lot w kosmos, lecz wynalezienie broni mającej zapewnić hitlerowskim Niemcom przewagę w wojnie. Ostatecznie aliantom udało się zbombardować zakłady w Peenemünde m.in. dzięki informacjom dostarczonym przez polski wywiad.

Jakie znaczenie dla podróży w kosmos ma Peenemünde?

Wernher von Braun był prawdziwym pionierem techniki rakietowej. Najpierw pracował wraz z Hermanem Oberthem nad niemieckim programem rakietowym w Peenemünde, a po klęsce Niemiec w II wojnie światowej oddał się w ręce Amerykanów i został wywieziony do USA. Później miał istotny udział w konstruowaniu rakiet amerykańskich. Uchodzi za ojca rakiet Saturn, użytych w programie misji księżycowych Apollo.

Kim był Wernher von Braun?

NASA, czyli National Aeronautics and Space Administration, została założona 1 października 1958 r. Połączono wtedy różne organizacje rządowe i instytucję, która w pewnym sensie była poprzedniczką NASA, czyli National Advisory Committee for Aeronautics.

Kiedy powstała NASA?

Pierwszym programem NASA był program Merkury. Jego celem było wyprawienie pierwszych Amerykanów na orbitę okołoziemską. Po nim nastąpił program Gemini, w ramach którego skonstruowano kapsułę kosmiczną dla dwóch astronautów oraz opracowano technologie wykorzystane w misji Apollo.

Na czym polegał pierwszy program NASA?

Pierwszą stację kosmiczną wprowadzili na orbitę okołoziemską Rosjanie. Salut 1 miał niecałe 16 m długości i ważył 16 t. W kosmos został wyniesiony 19 kwietnia 1971 r. Dotarły do niego dwa statki kosmiczne, Sojuz 10 i Sojuz 11. Po 175 dniach w kosmosie, 11 października 1971 r. Salut 1 spłonął w atmosferze ziemskiej.

Kiedy wystartowała pierwsza stacja kosmiczna?

Jaka pierwsza żywa istota poleciała w kosmos?

W listopadzie 1957 r. w ówczesnym Związku Radzieckim wystartował satelita Sputnik 2. Na jego pokładzie znajdowała się suka o imieniu Łajka. Naukowcy chcieli się dowiedzieć, czy istota żywa może przeżyć lot w kosmos.

Kto pierwszy pokonał barierę dźwięku?

Pierwszym człowiekiem, który pokonał tak zwaną barierę dźwięku, był Charles E. Yeager. Ten urodzony w 1923 r. pilot oblatywacz 14 października 1947 r. na pokładzie samolotu X-1 osiągnął prędkość do 1100 km/h, pokonując tym samym barierę dźwięku.

Kogo nazywamy ojcem radzieckiego programu kosmicznego?

Najważniejszym człowiekiem w początkowej fazie radzieckiego podboju kosmosu był Siergiej Korolow. Uchodzi on za twórcę rakiety R-7, pierwszego satelity Sputnik 1 oraz pierwszego udanego lotu człowieka w kosmos.

Co to jest orbita Hohmanna?

Niemiecki inżynier Walter Hohmann już w latach 20. ubiegłego wieku obliczył najbardziej korzystne trasy lotu na poszczególne planety. Jeszcze dziś trasy, które wymagają użycia najmniejszych ilości paliwa, nazywamy orbitami Hohmanna.

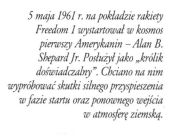

5 maja 1961 r. na pokładzie rakiety Freedom 1 wystartował w kosmos pierwszy Amerykanin – Alan B. Shepard Jr. Posłużył jako „królik doświadczalny". Chciano na nim wypróbować skutki silnego przyspieszenia w fazie startu oraz ponownego wejścia w atmosferę ziemską.

12 kwietnia 1961 r. 27-letni wówczas Jurij Gagarin na pokładzie statku kosmicznego Wostok jako pierwszy człowiek w historii ruszył w kosmos. 23 dni później wystartował Freedom 7 z Amerykaninem Alanem B. Shepardem Jr. na pokładzie.

Kim byli pierwsi ludzie w kosmosie?

Misją wahadłowca STS-93, który wyniósł w przestrzeń kosmiczną teleskop rentgenowski Chandra, kierowała Eileen Collins. Collins brała już udział we wcześniejszych misjach wahadłowców, a w 1999 r. była pierwszą kobietą dowodzącą statkiem kosmicznym.

Czy kobieta dowodziła kiedyś promem kosmicznym?

Neil Armstrong, pierwszy człowiek na Księżycu, walczył jako pilot myśliwca na wojnie w Korei, a od 1962 r. pracował w NASA. W kosmos poleciał po raz pierwszy w marcu 1966 r. w ramach misji Gemini 6. Testowano wówczas manewr dokowania na potrzeby programu Apollo.

Kiedy Neil Armstrong po raz pierwszy poleciał w kosmos?

Amerykański biznesmen Dennis Tito wiosną 2001 r. poleciał na pokładzie statku kosmicznego Sojuz na międzynarodową stację kosmiczną ISS, na której przebywał 6 dni. Podobno zapłacił za tę „podróż" 20 mln dolarów.

Kim był pierwszy kosmiczny turysta?

Po opadnięciu na powierzchnię Księżyca lądownika Eagle Neil Armstrong jako pierwszy człowiek postawił stopę na Srebrnym Globie. Lądowanie odbyło się 20 lipca 1969 r. i było transmitowane przez stacje telewizyjne na całym świecie. Padły wtedy słynne słowa Armstronga: „To mały krok dla człowieka, lecz wielki skok dla ludzkości".

Astronautka Eileen Collins była pierwszą kobietą dowodzącą promem kosmicznym.

Co to jest satelita?

Każde ciało i każdy obiekt krążący wokół innego ciała nosi nazwę satelity. Księżyc jest np. satelitą Ziemi. Najczęściej jednak terminu *satelita* używamy na określenie bezzałogowego pojazdu kosmicznego, krążącego wokół Ziemi.

Kto korzysta z satelitów?

Każdy. Bez satelitów nasze życie wyglądałoby zupełnie inaczej. Prognozy pogody byłyby mniej dokładne, niemożliwe byłyby transmisje na żywo z odległych miejsc kuli ziemskiej, a międzykontynentalne rozmowy telefoniczne kosztowałyby znacznie więcej niż dziś.

Co to jest satelita geostacjonarny?

Na wysokości ok. 36 000 km prędkość lotu satelity odpowiada dokładnie prędkości rotacji Ziemi. Obiekt na takiej geostacjonarnej orbicie znajduje się zawsze nad jednym i tym samym punktem na Ziemi.

Skąd satelity czerpią energię?

Większość satelitów jest wyposażona w ogniwa słoneczne, z których czerpie niezbędną energię. Ogniwa słoneczne są przymocowane albo bezpośrednio do obudowy satelity, albo na tak zwanych żaglach słonecznych, które najczęściej wyglądają jak skrzydła satelity i muszą być cały czas zwrócone w stronę Słońca.

Artemis, satelita skonstruowany przez europejskich i japońskich inżynierów, służy między innymi do testowania komunikacji z wykorzystaniem promieni laserowych.

Envisat to najdroższy satelita ESA. Jego zadaniem jest wykrywanie i obserwacja stopniowych zmian w ekosystemie Ziemi.

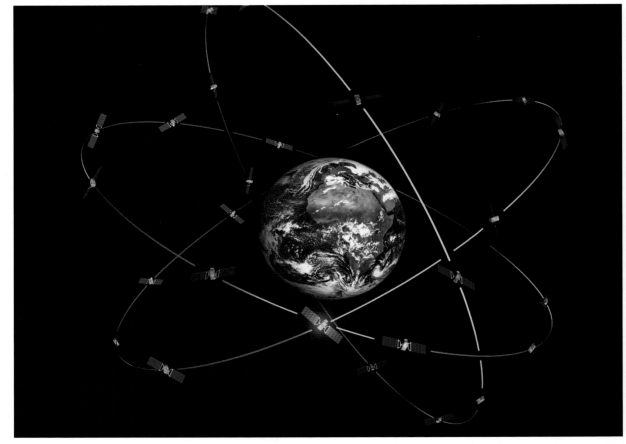

Eksperci ESA mają nadzieję, że Galileo pozwoli im stworzyć własny satelitarny system nawigacyjny na orbicie okołoziemskiej.

Pierwszym sztucznym satelitą na orbicie około-ziemskiej był Sputnik 1, wystrzelony przez Związek Radziecki 4 października 1957 r. Sputnik 1 miał średnicę zaledwie 58 cm i ważył niecałe 84 kg.

Który satelita jako pierwszy trafił na orbitę?

Większość satelitów stanowi własność prywatnych firm, oferujących usługi telekomunikacyjne lub transmisje telewizyjne. Inne należą do instytucji badawczych albo do wojska. Systemy kamer satelitów wojskowych są niezwykle wydajne i mogą fotografować obiekty w innych krajach z ogromną dokładnością.

Do kogo należą satelity?

Przestrzeń kosmiczna wokół Ziemi jest wypełniona pozostałościami pojazdów kosmicznych: wypalone elementy rakiet, satelity, którymi nie da się już sterować, ale krążą tam również narzędzia zgubione przez astronautów. Niektóre z tych śmieci są bardzo małe, mogą jednak wyrządzać gigantyczne szkody, jeśli np. przebiją obudowę satelity, czyniąc go w ten sposób niezdatnym do użycia.

Czym są kosmiczne śmieci?

W razie awarii lub zakłóceń w pracy satelitów można – o ile opłaca się podejmować tak wielki trud – przechwycić je z pokładu promu kosmicznego i poddać naprawie. Wielokrotnie już reperowano i modernizowano teleskop kosmiczny Hubble'a. Naukowcy pracują także nad możliwością użycia do konserwacji satelitów specjalnych robotów.

Czy można naprawiać satelity w przestrzeni kosmicznej?

Nowoczesne systemy nawigacyjne, pokazujące kierowcy samochodu optymalną drogę do celu, muszą potrafić określić pozycję samochodu. Umożliwia im to Global Positioning System, w skrócie GPS. Obejmuje on 24 satelity, dzięki którym można z dużą dokładnością określić pozycję obiektu na Ziemi.

Co łączy jazdę samochodem z satelitami?

Co to jest rakieta?

Rakieta to podłużny pojazd kosmiczny, umożliwiający wyniesienie w przestrzeń kosmiczną satelitów, sond kosmicznych, a także statków kosmicznych. Rakiety służą także do celów wojskowych: mogą na bardzo duże odległości przenosić broń atomową lub konwencjonalną.

Co to jest rakieta na paliwo płynne?

Rakiety na paliwo płynne są napędzane paliwem mieszanym na pokładzie rakiety: najczęściej wypełnia ono dwa osobne zbiorniki. W trakcie odpalania rakiety obie ciecze mieszają się. Zaletą tej technologii jest możliwość precyzyjnego sterowania prędkością rakiety za pośrednictwem zaworów.

Co to jest rakieta na paliwo stałe?

Rakieta na paliwo stałe ma tylko jeden duży zbiornik, służący jednocześnie jako komora spalania. Rakiety te nie mają zaworów i są prostsze w konstrukcji. Mogą też być dłużej przechowywane, jednak po odpaleniu nie da się ich już tak po prostu wyłączyć.

Rakieta Saturn V przed startem misji Apollo 11, zwieńczonej lądowaniem na Księżycu.

Co to jest rakieta wielostopniowa?

Moc rakiety zależy od jej masy. Naukowcy szybko wpadli więc na pomysł, by połączyć kilka rakiet w jedną. Start rakiety odbywa się za pomocą tak zwanego pierwszego stopnia. Gdy się wypali, uruchamiany jest kolejny stopień.

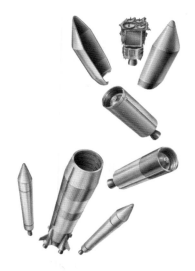

Co to jest rakieta V2?

Rakieta V2 jest uważana za poprzedniczkę wszystkich nowoczesnych rakiet. Pierwszy start rakiety V2 nastąpił w październiku 1942 r. Miała ona długość 14,3 m, zasięg ok. 320 km, a maksymalny pułap lotu wynosił ok. 100 km. Była to więc pierwsza rakieta zdolna dotrzeć do górnej granicy atmosfery ziemskiej. Była produkowana przez hitlerowskie Niemcy w czasie II wojny światowej jako rakieta balistyczna i służyła głównie do ataków na Anglię.

Schemat przedstawia poszczególne stopnie nośne rakiety Ariane V. Ładunek musi zmieścić się w niewielkiej kapsule na szczycie, pozostałe elementy są związane z napędem.

Aby rakieta mogła dotrzeć do właściwej orbity, musi wystartować w dokładnie określonym czasie. Okres, w którym taki start jest możliwy, nazywamy oknem startowym. Bywa, że danego dnia wystartować można w ciągu zaledwie kilku minut. Z tej przyczyny starty rakiet bywają często odraczane o kolejne 24 godziny, jeśli np. w przewidzianym pierwotnie terminie panują niekorzystne warunki pogodowe. Trzeba wtedy czekać na kolejne okno startowe.

Po zakończeniu II wojny światowej między głównymi światowymi potęgami, USA i Związkiem Radzieckim, rozpoczął się atomowy wyścig zbrojeń. Aby móc trafić bombą atomową w cele na terenie wroga, zaczęto konstruować duże rakiety jednorazowego użytku. Ta technologia przysłużyła się również rozwojowi astronautyki cywilnej.

Co rakiety mają wspólnego z atomowym wyścigiem zbrojeń?

Amerykanie skonstruowali rakiety do celów załogowych lotów kosmicznych. Odegrały one ważną rolę w programie Apollo, którego celem był Księżyc. Były to rakiety trójstopniowe. Saturn 5 miał wysokość 111 m, masę startową 2850 ton i mógł zabrać na orbitę okołoziemską 150 t ładunku, na Księżyc zaś 50 t.

Co to jest rakieta Saturn?

Ariane V wzbija się w powietrze, „podpierana" przez dwa ogromne słupy ognia strzelające z potężnych silników rakietowych na paliwo stałe.

Rakiety Ariane to rakiety skonstruowane w latach 70. ubiegłego wieku przez Europejską Agencję Kosmiczną ESA, która chciała uniezależnić się od rakiet amerykańskich. Najnowocześniejsza rakieta Ariane V może wynieść na orbitę okołoziemską maksymalnie 8 t ładunku. Jej łączna wysokość wynosi 54 m.

Co to jest rakieta Ariane?

Prawdopodobnie była to rosyjska rakieta R-7. Początkowo miała być wojskową rakietą międzykontynentalną, jednak już wkrótce zaczęto jej używać przede wszystkim jako rakiety startowej w misjach kosmicznych. Przeszła wiele modernizacji i w ciągu 50 lat rakiety tego typu odbyły ponad 1600 startów, z których 97% zakończyło się sukcesem. Także słynne rosyjskie statki kosmiczne Sojuz startowały dzięki rakietom R-7.

Która rakieta odniosła największe sukcesy?

Tak. Rakiety pod nazwą Długi Marsz otworzyły Chińczykom bramy do podboju kosmosu. Długi Marsz 1 w 1970 r. wyniósł w przestrzeń kosmiczną pierwszego chińskiego astronautę.

Czy Chińczycy też mają rakiety?

Kiedy rozpoczął się wyścig na Księżyc?

Wkrótce po wystrzeleniu pierwszych satelitów uwaga USA i Związku Radzieckiego skierowała się na Księżyc. Rosjanie mieli wtedy nad Amerykanami pewną przewagę: już w 1959 r. udało im się wysłać na Srebrny Glob pierwszą sondę.

Jak nazywała się pierwsza sonda na Księżycu?

Pierwszą sondą, która wylądowała miękko na Księżycu i przesłała stamtąd na Ziemię zdjęcia, była rosyjska sonda Łuna 9. Lądowanie odbyło się 3 lutego 1966 r.

Jakie zadania miały misje Apollo przed startem Apollo 11?

Pierwsze misje Apollo stanowiły przygotowanie do lądowania na Księżycu: Apollo 8 jako pierwszy załogowy statek okrążył Księżyc, w czasie misji Apollo 9 przećwiczono odłączanie i przyłączanie lądownika księżycowego, natomiast misja Apollo 10 była próbą generalną przed lądowaniem na Srebrnym Globie.

Jak przebiegało lądowanie na Księżycu?

Po wejściu na orbitę okołoksiężycową lądownik z dwoma astronautami na pokładzie odłączył się od jednostki dowodzącej. Przy ponownym starcie i powrocie na orbitę wokół Księżyca wykorzystano człon wzlotowy lądownika i w ten sposób pojazd księżycowy powrócił do głównego modułu statku kosmicznego Apollo.

19 lipca 1969 r.: początek bodaj najbardziej spektakularnej misji kosmicznej NASA – rakieta Saturn V wynosi w przestrzeń statek Apollo 11 z trzema astronautami na pokładzie. Celem wyprawy jest powierzchnia Księżyca.

Lądownik księżycowy misji Apollo 11 wylądował 20 lipca 1969 r. o godzinie 16:18 na Morzu Spokoju. Pierwszym człowiekiem, który postawił stopę na Księżycu, był Neil Armstrong (21 lipca o 3:56 czasu polskiego).

Kiedy pierwszy człowiek wylądował na Księżycu?

Ponieważ na Księżycu nie ma wiatru, musiano coś wymyślić, żeby flaga nie zwisała w dół. Skonstruowano więc specjalny uchwyt utrzymujący flagę w postaci rozwiniętej. Nie udało się jednak w całości wysunąć tego uchwytu, dlatego flaga jest trochę pomarszczona i wygląda, jakby łopotała.

Dlaczego na zdjęciach amerykańska flaga powiewa na wietrze?

Po upływie 102 godzin i 46 minut od startu Apollo 11 lądownik osiadł na powierzchni Księżyca. Pobyt na Srebrnym Globie trwał 21 godzin i 26 minut. Po łącznie 8 dniach, 3 godzinach i 18 minutach misja Apollo skończyła się wodowaniem na Pacyfiku.

Jak długo trwała podróż Apollo 11 na Księżyc?

Lądowanie lądownika Eagle na Księżycu śledziły z ogromnym napięciem miliony ludzi na całej Ziemi. Wielu z nich nie spało przez całą noc, by móc zobaczyć transmisję z Księżyca, chociaż nie była ona nadzwyczajnej jakości. Ocenia się, że przed ekranami telewizorów całą operację śledziło ok. 500 mln ludzi.

Ilu ludzi oglądało lądowanie na Księżycu?

Edwin Aldrin śladami swego kolegi Neila Armstronga schodzi na powierzchnię Księżyca. Po jego lewej stronie widać eksperymentalne urządzenie służące do pomiaru wiatru słonecznego.

Człon lądujący statku Apollo 9 miał za zadanie sprawdzić możliwość podłączania lądownika do głównego modułu Apollo 11 i odłączania go w czasie misji księżycowych. Ostatecznie manewry odbywały się wyłącznie na orbicie okołoziemskiej.

Co się zdarzyło w czasie misji Apollo 13?

W odległości ponad 320 000 km od Ziemi eksplodował zbiornik tlenu w module pomocniczym. Ponieważ w takiej sytuacji nie było nawet co myśleć o lądowaniu na Księżycu, zdecydowano o powrocie Apollo 13 na Ziemię. Ale także moduł dowodzenia ucierpiał w czasie eksplozji, astronauci przez większość czasu musieli więc przebywać w lądowniku księżycowym.

Jak szybko jeździ pojazd księżycowy?

W czasie misji Apollo 15 astronauci po raz pierwszy zostali wyposażeni w pojazd księżycowy. Ta warta 40 mln dolarów konstrukcja umożliwiła eksplorację Księżyca na szerszą skalę. Maksymalna prędkość pojazdu wynosiła 16 km/h.

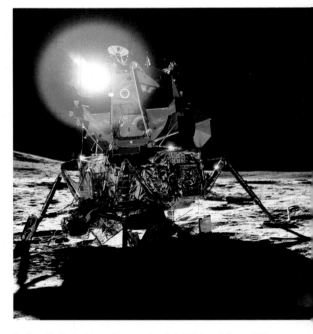

Ile razy ludzie lądowali na Księżycu?

Powodzeniem zakończyły się misje Apollo 11 do 17 z wyjątkiem misji Apollo 13. Apollo 17 zakończył dotychczasowy etap lotów załogowych na Srebrny Glob.

Lądownik Apollo 14 opadł na powierzchnię Księżyca 5 lutego 1971 r.; na jego pokładzie znajdowali się astronauci Alan Shepard i Edgar Mitchell. Ich kolega z załogi, Stuart Roosa, czekał w module dowodzenia na orbicie wokół Księżyca. Po upływie 33,5 godziny lądownik powrócił z próbkami skał księżycowych na pokładzie.

Kiedy człowiek po raz ostatni wylądował na Księżycu?

Ostatnim razem człowiek odwiedził Księżyc w grudniu 1972 r. Był to dowódca misji Apollo 17 Eugene Cernan. Lądownik opuścił Księżyc 14 grudnia 1972 r.

We wrześniu 2003 r. Europejska Agencja Kosmiczna ESA wysłała na orbitę okołoziemską sondę kosmiczną SMART. Jej zadaniem było przeprowadzenie badań nowego napędu jonowego i stopniowe obniżanie pułapu, tak by sonda została „przechwycona" przez siłę przyciągania Księżyca.

Aby zwiększyć zasięg prac na Księżycu, na pokład Apollo 15 zabrano pojazd księżycowy. Ważył 35 kg i został zmontowany na miejscu przez członków załogi.

Czy Rosjanie także mają próbki skał księżycowych?

Tak. W trakcie misji księżycowych Łuna 16, 20 i 24, które zostały przeprowadzone w latach 1970–1976, na powierzchni Księżyca osiadały bezzałogowe lądowniki, które pobierały próbki gruntu i wracały na Ziemię.

Czy po zakończeniu programu Apollo odbyły się jeszcze inne loty na Księżyc?

Przez długi czas nie. Dopiero w 1990 r. japońska sonda Hiten dotarła do Księżyca i umieściła na jego orbicie satelitę, który krążył wokół Srebrnego Globu przez 3 lata. Sonda Clementine, eksploatowana wspólnie z armią amerykańską, okrążyła Księżyc w 1994 r., a Lunar Prospector w 1998 r.

Sondę Lunar Prospector celowo skierowano w pobliże południowego bieguna Księżyca. Naukowcy mieli nadzieję, że upadek sondy pozwoli odkryć tam ślady wody i lód, ale nadzieje te pozostały niespełnione.

Dlaczego Lunar Prospector spadł na Księżyc?

Pierwsza europejska sonda księżycowa SMART-1 wystartowała 27 września 2003 r. Celem misji jest przede wszystkim testowanie nowych technologii. SMART-1 dysponuje nowoczesnym napędem jonowym i bardzo powoli osiąga pułap zbliżający go do orbity wokółksiężycowej.

Kiedy wystartowała pierwsza europejska sonda księżycowa?

Na razie nie planuje się kolejnych lotów załogowych na Księżyc. Być może jednak pod koniec przyszłej dekady człowiek znowu wyląduje na Srebrnym Globie, aby tam przygotowywać załogowy lot na Marsa.

Kiedy człowiek znowu poleci na Księżyc?

Co to jest space shuttle?

Tak Amerykanie określają prom kosmiczny, nazywany też wahadłowcem. Space shuttle startuje tak jak rakieta, a przy powrocie może lądować na pasie startowym jak samolot.

Dlaczego space shuttle po starcie obraca się na plecy?

Rampy startowe promów kosmicznych zostały pierwotnie wybudowane jako rampy dla rakiet lecących na Księżyc. Jeśli misja promu przewiduje inną orbitę, po starcie prom musi się odwrócić w odpowiednim kierunku.

Na jakiej wysokości latają promy kosmiczne?

To zależy od programu misji, ponieważ rozmaite zadania, które należy wykonać w kosmosie, wymagają różnych pułapów. Konstruktorzy promów kosmicznych przewidzieli dla nich pułap 185–643 km.

Jak się steruje promem w kosmosie?

W panującej w kosmosie próżni zmiana kierunku lotu wydaje się niemożliwa, ponieważ nie ma od czego się odbić. Ale prom kosmiczny tego nie potrzebuje, ponieważ tak jak wszystkie rakiety jest napędzany przez wyrzucanie w przestrzeń kosmiczną materii (gazów). Powoduje to powstanie skierowanej przeciwnie siły odrzutu, dzięki której można sterować promem.

Prom jest przytwierdzony do potężnego zbiornika paliwa z dwoma dopalaczami po prawej i lewej stronie. W trakcie lotu ku orbicie okołoziemskiej cały ten zespół przechyla się tak, że prom kosmiczny wisi do góry nogami pod zbiornikiem.

Columbia, pierwszy załogowy prom kosmiczny, wystartował 12 kwietnia 1981 r. Na pokładzie było tylko 2 astronautów: dowódca John W. Young i pilot Robert L. Crippen. W czasie misji STS-001 przeprowadzono jednak tylko testy systemów.

Kiedy wystartował pierwszy prom kosmiczny?

Na orbicie okołoziemskiej amerykańskie promy kosmiczne osiągają prędkość do 27 875 km/h.

Jak szybko lata prom kosmiczny?

Prom kosmiczny ma długość 56 m, orbiter (czyli część, która powraca na Ziemię) ma 37 m długości. Rozpiętość promu sięga niemal 24 m. Prom może zabrać w kosmos ponad 20 t ładunku.

Jak duży jest prom kosmiczny?

Tak. Rosyjski projekt Buran został powołany do życia w połowie lat 70. ubiegłego wieku jako odpowiedź na amerykański program promów kosmicznych. Pierwszy Buran poleciał w kosmos 15 listopada 1988 r. Mimo że realizacja projektu przebiegała pomyślnie, trzeba było go przerwać ze względów finansowych.

Czy Rosjanie również planują loty promem?

Prom Challenger był drugim promem nadającym się do ponownego użytku, eksploatowanym przez NASA. Od lipca 1982 r. przeprowadzono 9 udanych misji Challengera. 28 stycznia 1986 r. tuż po starcie doszło do katastrofy promu.

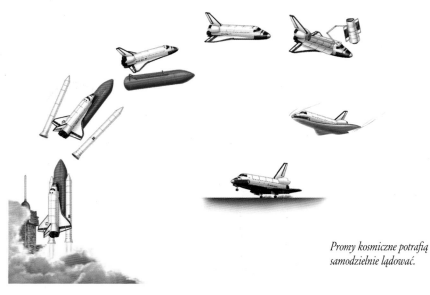

Promy kosmiczne potrafią samodzielnie lądować.

Co stało się z Sojuzem 1?

23 kwietnia 1967 r. wystartowała misja Sojuz 1 pod dowództwem Władimira Komarowa. W momencie wchodzenia w atmosferę ziemską żaden z dwóch spadochronów wyhamowujących kapsułę nie otworzył się i Sojuz 1 roztrzaskał się o Ziemię.

Jak zakończyła się misja Sojuza 11?

Misja Sojuza 11 początkowo przebiegała zgodnie z planem, jednak w czasie powrotu na Ziemię, przy odłączaniu lądownika jeden z zaworów nie zamknął się całkowicie, powietrze wydostało się z kapsuły i astronauci się udusili.

Dlaczego Challenger eksplodował?

Prom kosmiczny Challenger eksplodował 28 stycznia 1986 r. 73 sekundy po starcie na wysokości ok. 14 km. Przyczyną wybuchu była zepsuta uszczelka w prawej rakiecie na paliwo stałe. Zginęło wszystkich siedmioro astronautów na pokładzie.

Jak zakończyła się 28. misja promu Columbia?

Columbia była pierwszym promem, który w ogóle poleciał w kosmos. Po wielu udanych misjach 1 lutego 2003 r., 16 minut przed planowanym lądowaniem, rozpadła się, wchodząc w atmosferę ziemską. Najprawdopodobniej zawiniła osłona termiczna uszkodzona przy starcie promu.

Misja Apollo 13 miała być trzecim załogowym lotem na Księżyc. Jednak po eksplozji zbiornika tlenu załoga statku niemal cudem uszła z życiem.

Siedmioro pasażerów Challengera w styczniu 1986 r. nie miało żadnych szans na przeżycie.

Początek 2003 r.: w Centrum Lotów Kosmicznych im. Kennedy'ego prom kosmiczny Columbia wyjeżdża z hangaru na start do kolejnej wyprawy. Misja ta okazała się ostatnią.

Po katastrofie Challengera przez dwa i pół roku nie wystartował żaden prom kosmiczny. Chciano najpierw dokładnie wyjaśnić przyczyny tragedii. Wypadek Columbii doprowadził do całkowitego wstrzymania misji promów, a tym samym zatrzymania rozbudowy Międzynarodowej Stacji Kosmicznej.

Jakie skutki miały katastrofy promów kosmicznych?

NASA zamierza w przyszłości wysyłać na orbitę okołoziemską tylko te promy, których załoga będzie mogła powrócić na Ziemię nawet w przypadku uszkodzenia osłony termicznej. Wyjściem z sytuacji mogłoby być np. międzylądowanie na Międzynarodowej Stacji Kosmicznej.

Jakie ograniczenia nałożono na promy po katastrofie Columbii?

Program Apollo rozpoczął się od tragedii: 27 stycznia 1967 r. w trakcie jednego z testów w kapsule kosmicznej wybuchł pożar. Nie udało się w porę uwolnić pasażerów. Aby upamiętnić zmarłych tragicznie astronautów, test ten otrzymał później nazwę Apollo 1.

Jak się rozpoczął program Apollo 1?

22 sierpnia 2003 r. w brazylijskim centrum kosmicznym w Alcantara wydarzyło się straszliwe nieszczęście: 3 dni przed planowanym startem eksplodowała rakieta. W tej katastrofie zginęło 21 osób, a wiele zostało rannych.

Co zdarzyło się w Alcantara?

Nie. Cały europejski program rakietowy borykał się z poważnymi problemami. Dziewiczy lot Ariane V po wielu latach badań i doświadczeń zakończył się pożarem. Okazało się, że do oprogramowania sterującego rakietą wkradł się błąd.

Czy europejskie rakiety Ariane nadal działają?

Chińska rakieta Długi Marsz 3B eksplodowała w lutym 1996 r. tuż po starcie z chińskiego centrum lotów kosmicznych Xichang. Jej szczątki spadły na zamieszkany przez ludzi obszar. Zginęło co najmniej 6 osób.

Co się stało podczas startu rakiety Długi Marsz 3B?

Jaka jest różnica między astronautą i kosmonautą?

Astronauta znaczy mniej więcej tyle co gwiezdny żeglarz. Tego określenia Amerykanie zwyczajowo używają, mówiąc o kimś, kto podróżuje w przestrzeni kosmicznej. Rosjanie z kolei nazwali swoich kosmicznych pilotów kosmonautami, czyli kosmicznymi żeglarzami. Oba terminy mają więc niemal identyczne znaczenie.

Kim jest tajkonauta?

Aby zaznaczyć swą przynależność do światowych potęg kosmicznych, jesienią 2003 r. Chińczycy nazwali swego pierwszego kosmicznego podróżnika, który trafił na orbitę okołoziemską, tajkonautą. Termin ten pochodzi od chińskiego słowa *Taikong*, czyli Wszechświat.

Jakie kryteria musi spełniać astronauta?

Europejska Agencja Kosmiczna ESA ustaliła następujące kryteria: trzeba mieć 153–190 cm wzrostu i 27–37 lat. Poza tym trzeba być zupełnie zdrowym i nie mieć żadnych zaburzeń psychicznych ani problemów z wagą ciała. Warunkiem jest również ukończenie studiów przyrodniczych lub medycznych, a także doświadczenie w pracy badawczej. Dodatkowym atutem jest doświadczenie lotnicze.

W języku fachowym kombinezon astronauty nazywa się EMU (Extravehicular Mobility Unit), to znaczy jednostka do mobilnego użycia poza pojazdem kosmicznym.

Gdzie w Europie żyją astronauci?

ESA dysponuje własnym, obecnie 15-osobowym, korpusem astronautów. Jego główna siedziba znajduje się w Europejskim Centrum Astronautyki w Kolonii, w Niemczech. Tam odbywa się też znaczna część treningu astronautów. Aby przyswoić sobie określone umiejętności, astronauci ćwiczą również w Rosji i w Stanach Zjednoczonych.

Kiedy ESA znowu zacznie zatrudniać astronautów?

Kolejna rekrutacja nowych członków europejskiego korpusu astronautów odbędzie się w niedalekiej przyszłości. Na ostatni konkurs zgłosiło się 22 000 chętnych, spośród których 5000 dysponowało odpowiednimi kwalifikacjami.

77-letni John Glenn udowodnił wszystkim niedowiarkom, że zaawansowany wiek nie musi stanowić przeszkody w podróżach kosmicznych.

Aby spełnić marzenie o pracy związanej z podróżami w kosmos, wcale nie trzeba być astronautą. Na Ziemi istnieje wiele możliwości zawodowego zajmowania się sondami, stacjami kosmicznymi i załogowymi lotami na Marsa. Na niektórych uniwersytetach można np. studiować lotnictwo i kosmonautykę. Absolwenci kierunków mechanicznych i budowy maszyn mogą po skończeniu odpowiedniej specjalizacji zajmować się budową statków kosmicznych.

Jak dotąd jedynym Polakiem, który odbył lot w kosmos, jest generał Mirosław Hermaszewski. W lipcu 1978 r. uczestniczył on wraz z radzieckim kosmonautą Piotrem Klimukiem w 8-dniowej misji na pokładzie statku Sojuz 30.

Kto był pierwszym Polakiem w przestrzeni kosmicznej?

16 czerwca 1963 r. na pokładzie statku kosmicznego Wostok 6 w kosmos wystartowała Walentina Tierieszkowa. W ciągu niecałych 71 godzin statek 48-krotnie okrążył Ziemię. Tierieszkowa była pierwszą kobietą w kosmosie.

Kim była pierwsza kobieta w kosmosie?

W październiku 1998 r. 77-letni wówczas astronauta i senator USA John Glenn udał się na pokładzie promu kosmicznego Dicovery w 9-dniową podróż w przestrzeń kosmiczną. Glenn był już wtedy prawdziwym kosmicznym weteranem: w 1962 r. jako pierwszy Amerykanin okrążył Ziemię na pokładzie kapsuły kosmicznej Mercury.

Kim był najstarszy człowiek w kosmosie?

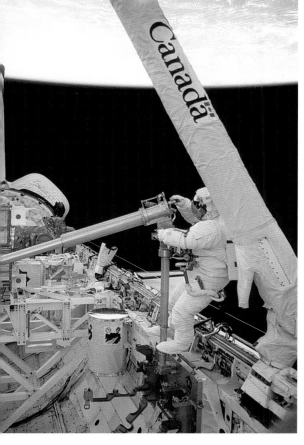

Od czasów pierwszego lotu załogowego w kosmosie przebywało łącznie ok. 500 osób, w tym ponad 40 kobiet. Za granicę, za którą zaczyna się kosmos, uważa się wysokość 100 km n.p.m.

Ile osób było do tej pory w kosmosie?

Rosjanin Siergiej Krikalow w trakcie sześciu misji spędził w kosmosie łącznie 803,4 dnia. Najdłuższym nieprzerwanym pobytem w przestrzeni kosmicznej może się pochwalić Walerij Poliakow, który wrócił na Ziemię po 437,7 dnia.

Kto najdłużej przebywał w kosmosie?

Najdłuższy spacer w kosmosie odbyli astronauci Jim Voss i Susan Helms w 2001 r., wykonując prace montażowe na Międzynarodowej Stacji Kosmicznej. Łącznie przebywali poza stacją 8 godzin i 56 minut.

Jak długo trwał najdłuższy spacer w kosmosie?

Przestrzeń ładunkowa promu kosmicznego służy również jako platforma konserwacyjna i montażowa.

Jak daleko od Ziemi znalazł się człowiek?

W czasie misji Apollo 13 astronauci okrążyli Księżyc w odległości 254 km. 15 kwietnia 1970 r. ich kapsuła znalazła się 400 000 km od Ziemi.

Jak długo trwała najdłuższa misja promu kosmicznego?

19 listopada 1996 r. prom kosmiczny Columbia rozpoczął misję STS-80. Z powodu złej pogody lądowanie się opóźniło i Columbia powróciła na Ziemię dopiero 7 grudnia. Ten najdłuższy lot promu kosmicznego trwał 17 dni.

Jak szybko leciała najszybsza sonda kosmiczna?

Rekord prędkości wśród sond kosmicznych należy do dwóch niemiecko-amerykańskich sond Helios 1 i Helios 2, które wystartowały w latach 1974 i 1976. Na orbicie wokół Słońca osiągnęły prędkość 250 000 km/h.

Która rakieta była największa?

Największe były rakiety Saturn V, użyte w misjach księżycowych Apollo. Wysokość tych rakiet wynosiła 110 m. Nie były to jednak rakiety o największej mocy – ten rekord przysługuje radzieckiej rakiecie Energia.

110-metrowej wysokości rakiety Saturn V należą to największych pojazdów tego typu, jakie kiedykolwiek zbudowano.

W ramach misji Apollo 10 astronauci Thomas P. Stafford, Eugenie A. Cernan i John W. Young w 1969 r. uczestniczyli w swego rodzaju próbie generalnej lądowania na Księżycu. Wracając na Ziemię, ich kapsuła kosmiczna osiągnęła prędkość 40 000 km/h.

Z jaką największą prędkością poruszał się człowiek?

W 2004 r. w historyczną podróż ruszył Space Ship One. Pilot oblatywacz Mike Melvill poleciał rakietopodobnym samolotem na wysokość 100 km, osiągając oficjalnie uznawane granice kosmosu.

Jak nazywał się pierwszy prywatny statek kosmiczny?

Największą sondą jest Cassini, biorąca udział w misji na Saturna. Ma 6,8 m długości i 4-metrową antenę. W chwili startu ważyła ponad 5,6 t, w tym ok. 3 t stanowiło paliwo.

Która sonda NASA jest największa?

Bardzo wolno – oba pojazdy, Spirit i Opportunity, przemieszczają się z maksymalną prędkością ok. 5 cm/s.

Jak szybko jeżdżą pojazdy marsjańskie Rover?

Największymi rakietami na paliwo stałe są dwie rakiety przytwierdzone po bokach dużego zbiornika na paliwo promu kosmicznego.

Które rakiety na paliwo stałe są największe?

Pierwszy prywatny statek kosmiczny, Space Ship One, został wyniesiony na granicę stratosfery przez samolot White Knight.

Ze względów finansowych NASA zdecydowała się na zastosowanie przy starcie promu kosmicznego 2 potężnych rakiet na paliwo stałe, tak zwanych boosterów (dopalaczy).

Co będzie następcą promu kosmicznego?

W NASA trwają prace nad zastąpieniem w 2010 r. promów kosmicznych pojazdami o nazwie orbital space plane (orbitalny samolot kosmiczny), w skrócie OSP. Prócz dysz sterujących nie będą one miały własnego napędu i trafią na orbitę okołoziemską dzięki rakiecie, po czym będą lądować na Ziemi jak szybowce.

Czy orbitalny samolot kosmiczny zastąpi w pełni prom kosmiczny?

Nie. Na jego pokładzie zmieści się mniej astronautów. Nie będzie też mógł zabierać w przestrzeń kosmiczną większych ładunków. Orbital space plane nie mógłby np. wynieść w kosmos teleskopu kosmicznego Hubble'a.

Czy w kosmosie można żeglować?

Teoretycznie tak i jeśli wszystko będzie przebiegało zgodnie z planem, wkrótce wystartuje pierwszy statek testowy wyposażony w żagle słoneczne. Będzie się poruszał na potężnych, rozpiętych żaglach pod wpływem nacisku fotonów promieniowania słonecznego.

Jak szybko porusza się statek z żaglami słonecznymi?

Statki kosmiczne wyposażone w żagle słoneczne będą mogły, o ile wszystko się powiedzie, osiągać znaczne prędkości, ale będzie to wymagało bardzo dużo czasu. Po upływie roku taki statek będzie mógł żeglować w przestrzeni kosmicznej z prędkością ponad 50 000 km/h.

Przed pierwszą misją napędy rakiet są poddawane w NASA drobiazgowym testom. Dopiero po pomyślnym przejściu przez wszystkie próby można rozważyć montaż takiego napędu w statku kosmicznym.

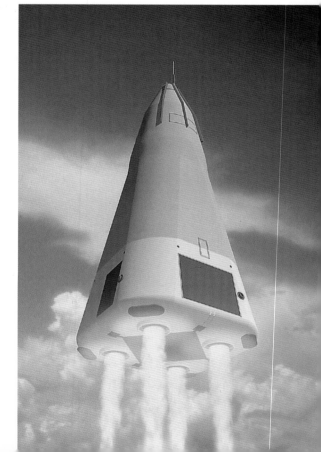

Delta Clipper wskazuje prawdopodobny kierunek rozwoju podróży kosmicznych. Jako następca space shuttle prom ten będzie mógł pionowo startować do lotów na orbitę okołoziemską i pionowo lądować.

Koszty podboju kosmosu można znacząco obniżyć dzięki wielokrotnemu użyciu statków kosmicznych, takich jak planowany Lockheed-Martin-SSTO.

W jakich misjach kosmicznych można zastosować żagle słoneczne?

Statki kosmiczne wyposażone w żagle słoneczne mogą być użyte do podróży międzyplanetarnych. Problemem jest jednak gwałtowny spadek mocy promieniowania słonecznego poza orbitą Jowisza.

Na jaką technikę stawia NASA?

Wydaje się, że w dalszej eksploracji zewnętrznych regionów Układu Słonecznego NASA stawia na energię jądrową. Toczą się dyskusje na temat misji na księżyce Jowisza, w których wykorzystano by energię pochodzącą z niewielkiego reaktora. Naukowcy planują zastosowanie w tych misjach napędu jonowego.

Maksymalna prędkość napędu jonowego zależy od zapasu gazu. 81,5 kg paliwa potrafi rozpędzić sondę testową Deep Space 1 do prędkości 16 000 km/h.

Jak szybki jest napęd jonowy?

Atomowe jądro paliwowe może dostarczyć znacznie więcej energii niż ogniwa słoneczne. Można ich używać do doświadczeń wymagających większej ilości energii, np. do poszukiwań obiektów przy użyciu wydajnego systemu radarów.

Jakie zalety ma energia jądrowa?

Energia jądrowa jest stosowana w astronautyce już od wielu lat. Ale korzystanie z niej wiąże się oczywiście z ryzykiem. Jej przeciwnicy obawiają się skażenia radioaktywnego, gdyby start rakiety z napędem jądrowym się nie udał i rakieta runęłaby na Ziemię.

Jakie ryzyko niosą ze sobą ogniwa jądrowe?

STACJA KOSMICZNA

Budowa Międzynarodowej Stacji Kosmicznej na orbicie okołoziemskiej to przedsięwzięcie techniczne na niespotykaną dotąd skalę: w pracach na obsadzonej przez cały czas placówce w kosmosie uczestniczy wiele krajów z całego świata. Najwyraźniej zapomniano o dawnej rywalizacji. Laboratoria znajdujące się na Międzynarodowej Stacji Kosmicznej otwierają przed naukowcami zupełnie nowe możliwości. Na rozwoju nowych technologii korzystają również inne dziedziny astronautyki. Nie byłoby to jednak możliwe bez ludzi, którzy przebywają na stacji: astronauci prowadzą prace montażowe, spędzając wiele godzin w przestrzeni kosmicznej.

Jak astronauci śpią w kosmosie?

W warunkach nieważkości śpi się nieco inaczej niż na Ziemi. Aby nie przemieszczać się w czasie snu, astronauci najczęściej śpią w specjalnych śpiworach lub niewielkich kojach.

Czy na Międzynarodowej Stacji Kosmicznej da się oddychać?

Tak, ponieważ pomieszczenia Stacji Kosmicznej, w których przebywają astronauci, są na bieżąco zaopatrywane w dostateczną ilość tlenu. Dwutlenek węgla jest odprowadzany na zewnątrz. Systemy wentylacyjne muszą dodatkowo odfiltrowywać z powietrza wszelkie opary, ponieważ wietrzenie w przestrzeni kosmicznej nie jest możliwe.

Jak astronauci myją włosy?

NASA wyposaża astronautów w specjalne środki do mycia włosów, które nie wymagają używania wody. Substancje te wynaleziono pierwotnie dla osób chorych, które nie mogły korzystać z prysznica.

Jak astronauci korzystają z toalety?

Toalety na pokładach amerykańskich promów kosmicznych są dość niezwykłe. Astronauci muszą się do nich przypinać. Nieczystości są wysysane na zewnątrz.

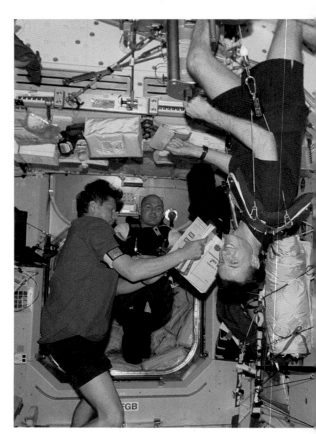

Gimnastyka jest dla astronautów niezwykle istotna, w przeciwnym razie ich mięśnie w warunkach stanu nieważkości uległyby zwiotczeniu.

Skąd na Stacji Kosmicznej bierze się woda?

Podstawowy zapas wody astronauci muszą zabrać ze sobą z Ziemi. Potem wszystko polega na ponownym jej użyciu – dlatego każdą kroplę poddaje się sumiennej utylizacji.

Z Ziemi. Na Międzynarodowej Stacji Kosmicznej nie ma pralki, ponieważ byłaby za ciężka i zużywałaby zbyt dużo wody. Na pokładach statków zaopatrzeniowych odwiedzających stację przywożone są czyste ubrania, ale astronauci nie zmieniają ich tak często, jak robiliby to na Ziemi. Odzież roboczą zmieniają np. mniej więcej co 10 dni.

Skąd astronauci biorą czystą bieliznę?

Tak, astronauci muszą odbyć trening kondycyjny przynajmniej raz dziennie, aby utrzymać swoje mięśnie w dobrej formie. W warunkach stanu nieważkości mięśnie bowiem w ogóle nie pracują i szybko wiotczeją. Dlatego na pokładzie znajduje się sporo sprzętu umożliwiającego ćwiczenie określonych partii mięśni.

Czy w kosmosie uprawia się sport?

Na pokładzie Międzynarodowej Stacji Kosmicznej astronauci, podobnie jak na Ziemi, jedzą śniadanie, obiad i kolację. Jest tam piekarnik, w którym podgrzewa się potrawy. Jadłospis w zasadzie przypomina ten ziemski, choć potrawy mogą wyglądać nieco inaczej. Sól i pieprz są dostępne jedynie w postaci płynnej, ziarenka unosiłyby się bowiem swobodnie po stacji. Ze względu na okruszki niebezpieczny może być również chleb.

Co astronauci jedzą w kosmosie?

W trakcie dłuższego przebywania w kosmosie istotny jest również relaks. Astronauci często wyglądają przez okienka i patrzą na Ziemię. Poza tym mają na pokładzie książki, mogą oglądać filmy i grać w różne gry.

Jak astronauci spędzają czas wolny?

Śmieci, których nie da się ponownie użyć, wracają na Ziemię na pokładzie promu kosmicznego albo lądują w rosyjskim kosmicznym transportowcu pod nazwą Progress, spełniającym funkcję śmieciarki. Wchodzi on następnie w atmosferę ziemską i spala się całkowicie.

Co dzieje się ze śmieciami?

W czasie wolnym astronauta na pokładzie Międzynarodowej Stacji Kosmicznej zmaga się z trudnym w warunkach nieważkości zadaniem gry na keyboardzie.

Co to jest Mir?

Mir to ostatnia rosyjska stacja kosmiczna. *Mir* po rosyjsku znaczy „pokój". Podstawowy moduł Mira został wyniesiony na orbitę okołoziemską 20 lutego 1986 r. Ważył 20 t, miał 13,5 m długości i 4 m średnicy.

Jak duża była stacja Mir pod koniec swojego istnienia?

Podstawowy moduł stacji Mir w okresie jej funkcjonowania był stale poszerzany o kolejne elementy. W 1987 i 1989 r. dołączono moduły Quant I i Quant II, w których mieścił się sprzęt potrzebny do prowadzenia doświadczeń oraz prysznice. Pod koniec stacja kosmiczna miała ponad 30 m długości, ponad 30 m szerokości i ważyła niemal 140 t.

Jak zaopatrywano Mira?

Mir – tak samo jak dziś Międzynarodowa Stacja Kosmiczna – był zaopatrywany przez załogowe i bezzałogowe statki kosmiczne. Specjalnie do celów tej misji zmodernizowano kapsuły Sojuz.

Czy space shuttle odwiedził Mira?

Tak. NASA zawarła z Rosjanami układ o wspólnym użytkowaniu stacji Mir. W lutym 1995 r. wahadłowiec okrążył stację, a w czerwcu tego samego roku do Mira zadokował po raz pierwszy prom kosmiczny Atlantis.

Po rozpadzie Związku Radzieckiego nikt nie chciał ponosić gigantycznych kosztów napraw psujących się coraz częściej urządzeń stacji Mir, dlatego w 2001 r. przeznaczono ją na złom.

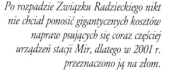

Astronauta Shannon Lucid przybył na stację Mir 22 marca 1996 r. i pozostał tam przez 188 dni. Po nim na Mira trafiali inni amerykańscy astronauci. W czerwcu 1998 r. zaprzestano wysyłania wahadłowców na Mira.

Czy amerykańscy astronauci przebywali dłużej na pokładzie Mira?

Na stację Mir trafiło wielu astronautów z różnych państw. Byli tam oczywiście kosmonauci radzieccy, a później rosyjscy. Oprócz nich najliczniejsza była grupa astronautów amerykańskich. Ponadto stację odwiedziło też 4 Niemców, 2 Francuzów, Japończyk, Austriak, Syryjczyk i Afgańczyk.

Przedstawiciele jakich państw trafili na Mira?

Z biegiem czasu utrzymanie stacji Mir stało się dla rosyjskiego rządu zbyt kosztowne. Dlatego w 2000 r. prywatna firma sfinansowała pobyt dwóch kosmonautów na Mirze i ich spacer w kosmosie.

Kiedy odbył się pierwszy komercyjny spacer w kosmosie?

Wszelkie próby ratowania Mira przy użyciu prywatnych pieniędzy spełzły na niczym. Od 23 marca 2001 r. stopniowo obniżano orbitę stacji. Na wysokości poniżej 100 km zewnętrzna powłoka Mira rozżarzyła się, a na wysokości 90 km stacja rozpadła się na kawałki i spłonęła.

Jak wyglądał koniec Mira?

Rosyjska stacja kosmiczna Mir, rozbudowywana przez ponad 10 lat, wspomogła rozwój rozmaitych technologii, umożliwiła przeprowadzenie licznych doświadczeń i obserwacji Ziemi. Jej następczynią jest Międzynarodowa Stacja Kosmiczna ISS.

Na Mirze wielokrotnie przebywali również astronauci amerykańscy.

Kiedy rozpoczęła się budowa Międzynarodowej Stacji Kosmicznej?

Budowę International Space Station – w skrócie ISS – rozpoczęto w listopadzie 1998 r. Wystartował wtedy rosyjski moduł Zarja. Niedługo potem na orbitę trafił amerykański moduł Unity. Z czasem ISS stale się rozrastała, powiększając się przy każdej wizycie amerykańskiego promu kosmicznego.

Ile czasu potrzebuje ISS na pełne okrążenie Ziemi?

ISS krąży wokół Ziemi z prędkością ok. 28 000 km/h, na średniej wysokości ok. 400 km. Na wykonanie pełnego okrążenia wokół Ziemi potrzebuje ok. półtorej godziny.

Kiedy astronauci wprowadzili się na ISS?

Pierwsza obsada, nazwana Expedition Crew 1, w której skład wchodzili: dowódca Bill Shepherd, Jurij Gidzenko i Siergiej Krikalow, zawitała na stacji 2 listopada 2000 r.

Jak duża będzie Międzynarodowa Stacja Kosmiczna po zakończeniu budowy?

Jeśli rozbudowa Międzynarodowej Stacji Kosmicznej będzie przebiegała zgodnie z planem, kompletna stacja będzie ważyć ok. 450 t i będzie większa od domu jednorodzinnego. Całkowita długość Międzynarodowej Stacji Kosmicznej, mierzona od jednego końca do drugiego, wyniesie 110 m.

Na stacji kosmicznej trzeba wykorzystać każdy centymetr kwadratowy dostępnej powierzchni. Ściany są dosłownie usiane ekranami, wskaźnikami i urządzeniami pomiarowymi.

Prom kosmiczny Atlantis po udanym manewrze dokowania do Międzynarodowej Stacji Kosmicznej.

Po zakończeniu rozbudowy Międzynarodowa Stacja Kosmiczna będzie zaopatrywana w energię gromadzoną przez gigantyczne ogniwa słoneczne.

Międzynarodowa Stacja Kosmiczna jest zaopatrywana przez załogowe rosyjskie statki Sojuz, przez bezzałogowe misje Progress oraz przez amerykańskie promy kosmiczne. W okresie gdy przerwano loty promów kosmicznych po katastrofie Columbii, zaopatrzenie Międzynarodowej Stacji Kosmicznej przejęli w całości Rosjanie.

Jak zaopatrywana jest ISS?

W budowie Międzynarodowej Stacji Kosmicznej uczestniczą Stany Zjednoczone, Kanada, Japonia, Rosja oraz państwa członkowskie Europejskiej Agencji Kosmicznej ESA. Do ESA należą Austria, Belgia, Dania, Finlandia, Francja, Grecja, Hiszpania, Holandia, Irlandia, Luksemburg, Niemcy, Norwegia, Portugalia, Szwecja, Szwajcaria, Wielka Brytania i Włochy.

Jakie kraje uczestniczą w projekcie ISS?

Orbitę Międzynarodowej Stacji Kosmicznej trzeba regularnie podwyższać, aby obiekt nie dostał się w gęstsze warstwy atmosfery. Odbywa się to przez zapłon silników podłączonych do niej statków kosmicznych.

Dlaczego stacja kosmiczna nie spada na Ziemię?

Tak, jest. Do Międzynarodowej Stacji Kosmicznej cały czas jest podłączony jeden ze statków Sojuz. Na jego pokładzie na Ziemię mogą wrócić 3 osoby. Mniej więcej co pół roku statek podłączony do stacji jest zastępowany nowym: w czasie tych wypraw, zwanych misjami taxi 3 astronautów odwiedza stację, zostawia swój statek podłączony do stacji i wraca na Ziemię na pokładzie jego poprzednika.

Czy na ISS jest łódź ratunkowa?

Międzynarodowa Stacja Kosmiczna to kosmiczne laboratorium, w którym można prowadzić badania naukowe w warunkach stanu nieważkości. Państwa uczestniczące w tym projekcie spodziewają się istotnych odkryć w dziedzinie materiałoznawstwa, biotechnologii i medycyny. Ważne jest także dłuższe przebywanie w przestrzeni kosmicznej, które umożliwia przygotowanie się do dalekich wypraw, np. na Marsa.

Do czego potrzebna jest ISS?

Po co astronauci noszą kombinezony?

Astronauci, którzy pracują w kosmosie, muszą niejako zabrać ze sobą swoje środowisko: kombinezony zaopatrują ich w powietrze i wytwarzają odpowiednie ciśnienie, chroniąc ich przed oddziaływaniem zabójczej próżni, panującej w kosmosie. Poza tym kombinezony można ogrzewać. Ważną ich funkcją jest też ochrona przed promieniowaniem radioaktywnym i drobnymi meteorytami.

Dlaczego kombinezony astronautów są białe?

Z kilku powodów. Przede wszystkim nie nagrzewają się tak szybko jak ciemne, a poza tym ubrany na biało astronauta jest lepiej widoczny w ciemnościach kosmosu. W czasie spaceru jeden z astronautów zawsze nosi kombinezon z czerwonymi paskami, tak aby można ich było od siebie odróżnić.

Dlaczego spacer w kosmosie nazywa się EVA?

EVA to skrót od angielskiego określenia *extravehicular activity*, co można przetłumaczyć jako „czynność poza pojazdem kosmicznym".

Czerwone paski na plecaku i udach pozwalają odróżnić astronautów od siebie.

Co by się stało, gdyby astronauta „odfrunął" w czasie budowy ISS?

Kombinezony, jakie noszą astronauci w czasie budowy Międzynarodowej Stacji Kosmicznej, są wyposażone między innymi w kamizelkę ratunkową pod nazwą SAFER, mającą niewielki napęd. W sytuacji awaryjnej astronauta może więc samodzielnie powrócić na stację.

Kiedy odbył się pierwszy spacer w kosmosie?

Pierwszy spacer w kosmosie odbył się w ramach misji Woschod-2 w dniu 18 marca 1965 r. Kosmonauta Aleksiej Leonow przebywał wtedy w przestrzeni kosmicznej przez 20 minut. Ta pierwsza wycieczka niemal nie skończyła się tragicznie, ponieważ kombinezon nieco się rozdął i Leonow nie mógł z powrotem przecisnąć się przez luk. Musiał wypuścić powietrze, żeby dostać się na pokład statku kosmicznego. Dwa i pół miesiąca później spacer w kosmosie odbył jako pierwszy Amerykanin – Edward White.

Astronauta Mark C. Lee z powodzeniem przetestował system ratunkowy SAFER w odległości prawie 235 km od powierzchni Ziemi.

Spacer w kosmosie trudno nazwać relaksem. Dla astronautów to ciężki kawałek chleba. Aby móc wybrać się na taki spacer, muszą na Ziemi intensywnie ćwiczyć przez wiele miesięcy. Po dokładnym zapoznaniu się ze sprzętem często trenują poszczególne czynności w dużych basenach wypełnionych wodą na modelach naturalnych rozmiarów. Mogą więc jeszcze na Ziemi przyzwyczaić się do wykonywania precyzyjnych czynności w topornych kombinezonach.

W stanie nieważkości jedna osoba może przenieść nawet bardzo nieporęczne i ciężkie przedmioty.

Czy kobiety również spacerowały w kosmosie?

Tak. Pierwszą kobietą, która wybrała się na spacer w przestrzeni kosmicznej, była Swietłana Sawickaja. W lipcu 1984 r. Sawickaja udała się w ramach misji Sojuz T12 na rosyjską stację kosmiczną Salut 7. W październiku tego samego roku w jej ślady poszła Amerykanka Kathryn Sullivan.

Na jakie wsparcie mogą liczyć astronauci w czasie prac w kosmosie?

Wykonując wiele czynności w czasie spacerów w kosmosie, astronauci są zdani jedynie na siebie. Jednakże przy budowie Międzynarodowej Stacji Kosmicznej pomagają im ramiona robotów, działające jak dźwigi i przenoszące duże elementy. Takimi ramionami dysponują również promy kosmiczne.

Jak astronauci przygotowują się do spacerów w kosmosie?

Kiedy astronauci chcą opuścić pokład Międzynarodowej Stacji Kosmicznej, nie mogą tak po prostu otworzyć luku i wyfrunąć na zewnątrz. Najpierw przez ponad 2 godziny stopniowo przyzwyczajają się do nowych warunków otoczenia w przestrzeni kosmicznej, a przedtem ok. 10 minut intensywnie pedałują na rowerze. Przygotowując się do wyjścia w kosmos, oddychają czystym tlenem.

Ile spacerów w kosmosie będzie wymagała budowa ISS?

NASA szacuje, że do budowy i konserwacji Międzynarodowej Stacji Kosmicznej będzie potrzebnych ok. 160 spacerów w kosmosie. Łącznie astronauci będą przebywać w przestrzeni kosmicznej ok. 960 godzin.

Czy spacery w kosmosie z pokładu ISS różnią się od innych?

Zanim astronauci opuszczą pokład promu kosmicznego, aby np. prowadzić prace w otwartej przestrzeni kosmicznej, można tak obrócić prom, aby przez większość czasu astronauci byli oświetleni przez Słońce. Dzięki temu nie marzną. W przypadku stacji kosmicznej nie jest to możliwe. Niektóre prace trzeba wykonywać w cieniu, w którym panują ekstremalnie niskie temperatury.

Co to jest mikrograwitacja?

Grecki termin *mikro* znaczy „mały". Mikrograwitacją nazywamy stan panujący na Międzynarodowej Stacji Kosmicznej lub na pokładzie statku znajdującego się na orbicie okołoziemskiej. W kosmosie siła przyciągania Ziemi jest bowiem niemal niewyczuwalna i dlatego wszystkie przedmioty unoszą się w przestrzeni.

Dlaczego mikrograwitacja jest tak istotna?

Mikrograwitacja otwiera przed naukowcami zupełnie nowy obszar badań: mogą analizować zjawiska, które na Ziemi są niwelowane lub zniekształcane przez siłę ciężkości.

Jak w kosmosie pali się świeczka?

Działanie siły ciężkości można zobrazować tak prostymi przykładami, jak płomień świecy. Ponieważ w kosmosie nie istnieje coś takiego jak „góra" czy „dół", płomień świecy ma tam kształt kulisty, a poza tym charakteryzuje się niebieskawym zabarwieniem.

Dlaczego w kosmosie mięśnie wiotczeją?

Choć tego nie zauważamy, nasze mięśnie wykonują na Ziemi bardzo ciężką pracę. Chodzimy, stoimy i siedzimy tylko dlatego, że mięśnie nieustannie przeciwdziałają sile przyciągania ziemskiego. W kosmosie nie muszą tego robić. Wszystko jest znacznie lżejsze, mięśnie nie pracują i stają się wiotkie.

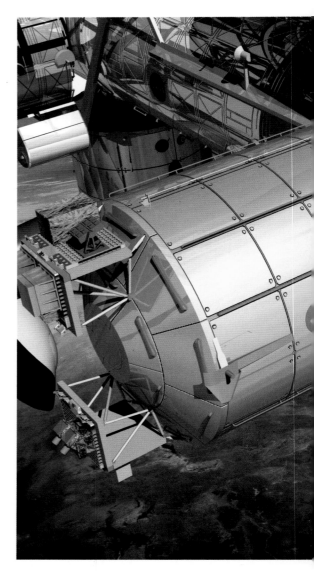

Rozmiary poszczególnych sprzętów laboratoryjnych na ISS są ściśle znormalizowane. Dzięki temu w każdej chwili można je zastąpić bardziej nowoczesnymi.

Skonstruowane przez naukowców z ESA laboratorium kosmiczne Columbus umożliwi prowadzenie doświadczeń w kosmosie przez 10 lat. Trafiło na Międzynarodową Stację Kosmiczną na początku 2008 r.

Krople wody na liściach rośliny, na których przykładzie bada się wpływ stanu nieważkości na wzrost roślin.

Miejsce na Międzynarodowej Stacji Kosmicznej, gdzie prowadzi się doświadczenia, ma standardowe wymiary. Naukowcy montują sprzęt w specjalnym pojemniku określonej wielkości i wysyłają go na ISS. Tam można go podłączyć bezpośrednio do systemów pokładowych.

Jak prowadzi się doświadczenia na ISS?

W kosmosie prowadzi się przede wszystkim badania podstawowe, także w dziedzinie medycyny. Naukowcy analizują między innymi wzrost komórek w warunkach stanu nieważkości, mając nadzieję, że dzięki temu będzie można lepiej zrozumieć procesy zachodzące w ludzkim organizmie. Może się to okazać pomocne np. w zwalczaniu chorób nowotworowych.

Czy badania w kosmosie są istotne dla ochrony zdrowia?

Szeroko rozpowszechniona opinia, jakoby wynalazek patelni z teflonową powłoką był efektem rozwoju badań kosmicznych, jest błędna. Wprawdzie w misjach Apollo używano teflonu, jednak do urzędu patentowego wynalazek ten zgłosił pewien Francuz już w 1954 r.

Co łączy teflonową patelnię z podróżami kosmicznymi?

Columbus to laboratorium kosmiczne ESA, którego budowę ukończono w 2006 r. Dwa lata później zainstalowano je na Międzynarodowej Stacji Kosmicznej.

Co to jest Columbus?

EKSPLORACJA

Pierwsze sondy wysłane z Ziemi na Wenus i Marsa przesłały zdjęcia niegościnnych planet, kładąc kres wszelkim marzeniom o spotkaniu tam inteligentnych form życia. Dla naszej wiedzy o planetach zewnętrznych decydujące okazały się misje sond Voyager i Pioneer. Ich wyniki nasunęły jednak nowe pytania. Kolejne misje zapewne pomogą znaleźć na nie odpowiedź. Pierwsze sondy właśnie opuszczają Układ Słoneczny i wkraczają na zupełnie nieznane obszary. Na wszelki wypadek mają na pokładzie pozdrowienia z Ziemi.

Co to jest sonda kosmiczna?

Sondą kosmiczną nazywamy bezzałogowy pojazd kosmiczny używany do badania Słońca oraz innych księżyców i gwiazd. Niektóre sondy trafiły już w najdalsze zakątki Układu Słonecznego.

Która aktywna sonda jest najstarsza?

Prawdopodobnie Pioneer 6. Sondę tę wysłano na orbitę wokół Słońca 16 grudnia 1965 r. Jej zadaniem było zbieranie informacji na temat wiatru słonecznego i promieniowania kosmicznego. W 35. rocznicę wystrzelenia sondy udało się jeszcze nawiązać z nią kontakt.

Która sonda znajduje się najdalej od Ziemi?

Znajdującym się najdalej od Ziemi obiektem zbudowanym przez człowieka jest sonda Voyager 1. Porusza się ona na skraju Układu Słonecznego w odległości ponad 90 jednostek astronomicznych, czyli ok. 13,5 mld km.

W sondzie kosmicznej Deep Space 1 zastosowano wiele nowatorskich rozwiązań. Naukowcy są zainteresowani przede wszystkim napędem jonowym. Jeśli się sprawdzi, z pewnością wkrótce znajdzie zastosowanie we wszystkich nowych sondach kosmicznych.

Jak działa napęd jonowy?

Napęd jonowy stosowany w nowoczesnych sondach zużywa gaz o nazwie ksenon. Za pomocą prądu elektrycznego pozyskiwanego z ogniw słonecznych sondy gaz zostaje przyspieszony i odrzucony na zewnątrz, przesuwając sondę do przodu. Taki napęd jest bardzo efektywny, choć przyspieszenie trudno nazwać pokaźnym.

Aby osiągnąć znaczną prędkość, umożliwiającą wyprawę w odległe regiony Układu Słonecznego, sondy chętnie czerpią energię od innych planet. Polega to na wykorzystaniu siły grawitacji planety, która przyciąga sondę i przyspiesza jej lot. Tor lotu jest przy tym tak obliczony, by sonda w bliskiej odległości minęła planetę i została ponownie wykatapultowana w przestrzeń kosmiczną.

Co to jest manewr swing-by?

Takim mianem określamy misje, których celem są planety zewnętrzne Układu Słonecznego lub obszar położony na zewnątrz orbity Marsa. W związku ze znaczną odległością od Słońca jest tam bardzo zimno, trzeba więc przedsięwziąć specjalne środki, zapewniające ogrzewanie układów elektronicznych i pozyskiwanie energii. W tym przypadku bowiem sama energia słoneczna nie wystarcza.

Czym są misje Deep Space?

Pierwsze plany wyprawy na tę niegdysiejszą planetę, a obecnie planetoidę, zostały zarzucone ze względu na wysokie koszty. Naukowcy chcą jednak jak najprędzej dotrzeć do Plutona, który nieustannie oddala się od Słońca. Cienka warstwa atmosfery, która go prawdopodobnie otacza, może bowiem wkrótce zamarznąć pod wpływem obniżającej się temperatury. Dlatego 19 stycznia 2006 r. wystrzelono z przylądka Canaveral sondę New Horizons, której celem jest właśnie Pluton.

Czy planowana jest wyprawa na Plutona?

Misja rozpoczęła się w styczniu 2006 r. Sonda, wykorzystując manewr swing-by w okolicach Jowisza w lutym 2007 r., powinna dotrzeć do planetoidy w lipcu 2015 r. To znaczy, że będzie się znajdowała w drodze przez prawie 9,5 roku.

Jak długo potrwa podróż na Plutona?

Drogą radiową. NASA eksploatuje sieć wielkich anten, tzw. Deep Space Network. Składa się ona z trzech zespołów anten rozmieszczonych w różnych punktach kuli ziemskiej, umożliwiających obserwację sond przez 24 godziny na dobę.

Jak odbywa się sterowanie sondą z Ziemi?

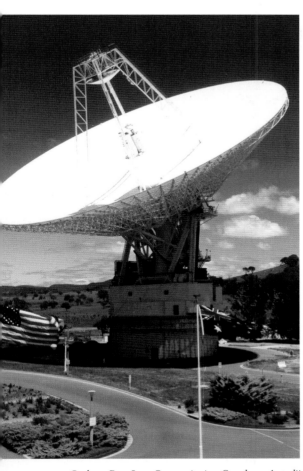

Canberra Deep Space Communications Complex w Australii jest jednym z trzech kompleksów tworzących należącą do NASA sieć Deep Space Network.

Ile było sond Pioneer?

Łącznie Amerykanie wysłali w przestrzeń kosmiczną 13 sond pod nazwą Pioneer. Ich zadaniem było prowadzenie badań przestrzeni międzygwiezdnej lub innych planet Układu Słonecznego. Pierwsza sonda Pioneer wystartowała w październiku 1958 r.

Jakie zadanie miał Pioneer 10?

Pioneer 10 został wysłany w podróż w zewnętrzne obszary Układu Słonecznego 2 marca 1972 r. Była to pierwsza sonda, która miała spróbować przedrzeć się przez pas asteroid, i nikt nie wiedział, czy jej się to uda. Dlatego skonstruowano zapasową sondę pod nazwą Pioneer 11. Okazało się jednak, że Pioneer 10 bez problemu pokonał pas asteroid.

We wrześniu 1979 r. Pioneer 11 minął Saturna, przecinając jego układ pierścieni. Kontakt z sondą urwał się bezpowrotnie w 1995 r.

Jakie planety odwiedził Pioneer 10?

Pioneer 10 był pierwszą sondą kosmiczną, która odwiedziła Jowisza. 3 grudnia 1973 r. przeleciał obok gazowego olbrzyma w odległości 130 000 km i wykonał pierwsze zdjęcia Jowisza z bliska.

Jak duży jest Pioneer 10?

Pioneer 10 ma długość 2,9 m i maksymalną szerokość 2,7 m. Waży 270 kg. Energię czerpie z niewielkich radioaktywnych ogniw paliwowych.

5 kwietnia 1973 r. wystartował w kosmos Pioneer 11. Miał być pierwszym ziemskim wysłannikiem na Saturna.

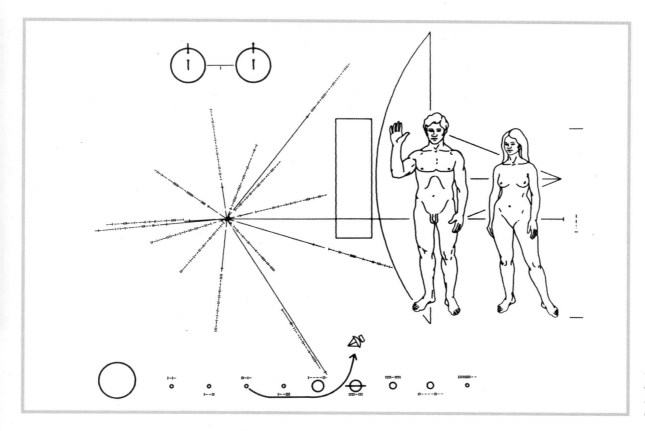

Na podstawie informacji zabranych w kosmos przez sondy Pioneer istoty pozaziemskie mogą obliczyć pozycję Ziemi.

Czy wciąż mamy kontakt z Pioneerem 10?

Już nie: ostatni, słaby sygnał NASA zarejestrowała 23 stycznia 2003 r. Prawdopodobnie energia wytwarzana przez ogniwa paliwowe Pioneera 10 okazała się niewystarczająca do transmisji danych na Ziemię.

Dokąd leci Pioneer 10?

Celem Pioneera 10 jest gwiazda Aldebaran, tworząca oko w konstelacji Byka. Aldebaran jest oddalony od Ziemi o ok. 68 lat świetlnych. Pioneer 10 będzie potrzebował ponad 2 mln lat, by do niego dotrzeć. W tej chwili sonda znajduje się mniej więcej 85 razy dalej od Słońca niż Ziemia.

Także Pioneer 11 dotarł do Jowisza. Była to również pierwsza sonda, która wykonała z bliska zdjęcia Saturna wraz z jego pierścieniami. Później badał też zewnętrzne regiony Układu Słonecznego.

Nie. Ostatni sygnał od sondy otrzymaliśmy 30 września 1995 r. Ziemia zeszła z „pola widzenia" anteny Pioneera 11, w związku z czym nie da się do niego przesłać poleceń, które spowodowałyby odwrócenie sondy w kierunku Ziemi.

Pioneer 10 i 11 mają na pokładach złote tabliczki, na których przedstawiono parę ludzi w geście powitania oraz pozycję Ziemi w Układzie Słonecznym. Aby zrozumieć tę informację, trzeba znać budowę azotu – pierwiastka najczęściej występującego we Wszechświecie.

Jakie planety odwiedził Pioneer 11?

Czy wciąż mamy kontakt z Pioneerem 11?

Jakie informacje dla istot pozaziemskich mają na pokładach Pioneer 10 i 11?

Kiedy sondy Voyager wyruszyły w kosmos?

Oba Voyagery to niemal identyczne sondy kosmiczne, wystrzelone w 1977 r.: Voyager 2 wystartował 20 sierpnia, Voyager 1 zaś ruszył w drogę 5 września, podróżował jednak po znacznie korzystniejszym torze i wkrótce wyprzedził siostrzaną sondę.

Dlaczego właśnie wtedy wystrzelono sondy Voyager?

W latach 60. ubiegłego wieku astronomowie zorientowali się, że Jowisz, Saturn, Uran i Neptun znajdą się w bardzo dogodnej pozycji i będzie do nich wszystkich mogła dotrzeć jedna sonda.

Dlaczego Voyager 2 dotarł tylko do Urana i Neptuna?

Tor lotu Voyagera 1 wyprowadził sondę z płaszczyzny, w której planety krążą wokół Słońca, ale dzięki temu można było zbadać Tytana, księżyc Saturna. Sonda dostarczyła naukowcom pierwszych informacji na temat tego tajemniczego ciała niebieskiego.

Dlaczego sondy Voyager wymagają ochrony przed promieniowaniem?

Przelatując obok Jowisza, sondy Voyager były wystawione na ekstremalnie intensywne promieniowanie, ponad tysiąckrotnie większe od dawki śmiertelnej dla człowieka. Dlatego do budowy sondy użyto materiałów odpornych na promieniowanie, a bardziej wrażliwe elementy dodatkowo zabezpieczono.

Voyager 1, mimo że wyruszył niemal 2 tygodnie po Voyagerze 2, nie na darmo nosił numer 1: jako pierwszy dotarł bowiem do Jowisza i Saturna.

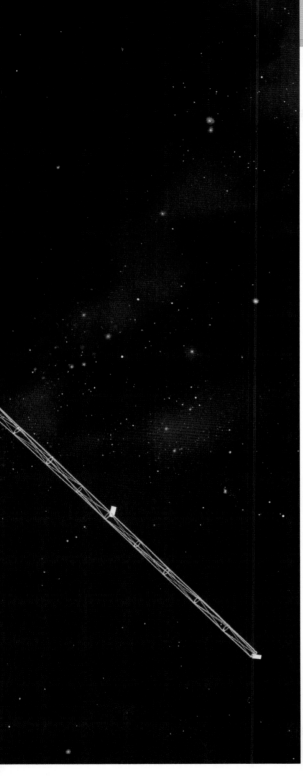

Voyager 1 w połowie 2004 r. znajdował się w odległości ponad 13,5 mld km od Ziemi, a Voyager 2 – ok. 11 mld km. Voyager 1 jest więc sondą, która znalazła się najdalej od Ziemi ze wszystkich pojazdów kosmicznych. Sondy te oddalają się od Ziemi z prędkościami 15 i 17 km/s.

Jak daleko od nas znajdują się obie sondy Voyager?

Tak, obie sondy wciąż przesyłają nam informacje. Niezbędną energię czerpią z ogniw plutonowych, które będą je zaopatrywały w prąd jeszcze do 2020 r. Do tego czasu naukowcy będą w stanie sterować lotem sond i odbierać od nich wiadomości.

Czy sondy Voyager przesyłają jeszcze dane na Ziemię?

Naukowcy mają nadzieję, że przynajmniej jedna z sond dotrze do przestrzeni międzygwiezdnej, to znaczy, że uda się jej opuścić region, w którym wieje wiatr słoneczny. Wtedy sondy powinny natrafić na cząsteczki pochodzące z pobliskich eksplozji gwiazd.

Co jeszcze mają zbadać sondy Voyager?

Obie sondy mają na pokładzie płyty z zarejestrowanymi obrazami, dźwiękami i utworami muzycznymi, które ewentualnemu znalazcy powinny pokazać, jak wygląda życie ludzi na Ziemi.

Jakie wieści dla istot pozaziemskich znajdują się na pokładach sond Voyager?

Niemal 4-metrowa antena główna i długi wysięgnik magnetometru nadają obu sondom Voyager charakterystyczny wygląd.

Na słynnych „złotych płytach" zabranych przez sondy Voyager oprócz ludzkiego głosu zarejestrowano między innymi odgłos deszczu.

Kiedy wysłano pierwszą sondę na Marsa?

Zaledwie 3 lata po udanym wystrzeleniu pierwszego satelity na orbitę okołoziemską Rosjanie spróbowali za pośrednictwem sondy kosmicznej dotrzeć do Czerwonej Planety, co jednak im się nie udało. Pierwszą sondą, która przeleciała obok Marsa, był Mariner 4, który w 1964 r. przesłał na Ziemię zdjęcia usianej kraterami powierzchni planety.

Kiedy pierwsza sonda okrążyła Marsa?

Rosyjskie sondy Mars 2 i Mars 3 dotarły do Czerwonej Planety pod koniec 1971 r. Każda z nich odrzuciła kapsułę lądującą, jednak obie roztrzaskały się o powierzchnię planety i nie były w stanie przesłać na Ziemię sensownych informacji. Mniej więcej w tym samym czasie do Marsa doleciał Mariner 9, który przesłał na Ziemię wiele zdjęć powierzchni Czerwonej Planety. Misja amerykańskiego Marinera zakończyła się więc większym sukcesem niż wyprawy rosyjskich sond.

Czy lądowniki Viking znalazły na Marsie ślady życia?

Częścią eksperymentów prowadzonych na pokładzie obu lądowników, które w 1976 r. opadły na powierzchnię Marsa, było poszukiwanie ewentualnych form życia. Zdołano przeprowadzić wszystkie zaplanowane doświadczenia, ale w danych przesłanych na Ziemię nie stwierdzono niczego, co mogłoby wskazywać na istnienie życia na Masie.

Jeden z ostatnich projektów NASA, pojazd Sojourner. W spektakularny sposób pokazał on zalety eksploracji Marsa dokonywanej poprzez sterowanie drogą radiową.

Naukowcy wiązali z lądownikiem marsjańskim Mars Polar Lander ogromne nadzieje. Urządzenie to uległo jednak zniszczeniu po wejściu w atmosferę Marsa.

Udane lądowanie obu sond Viking stanowi jeden z największych sukcesów w historii dotychczasowych badań Czerwonej Planety.

Lander 2 przesyłał na Ziemię zdjęcia powierzchni Marsa do 1980 r. Ostatnie sygnały pochodzące od lądownika zarejestrowano 11 listopada 1982 r.

Jak długo działały lądowniki Viking?

Po wieloletniej przerwie i wielu nieudanych próbach Mars Pathfinder w 1997 r. dotarł do Marsa. NASA zastosowała wtedy nowe procedury lądowania: opakowała platformę lądującą w poduszki powietrzne i spuściła lądownik na powierzchnię Marsa na spadochronie. Na pokładzie znajdował się niewielki, ważący zaledwie 10 kg łazik Mars Rover Sojourner.

Co to jest Mars Pathfinder?

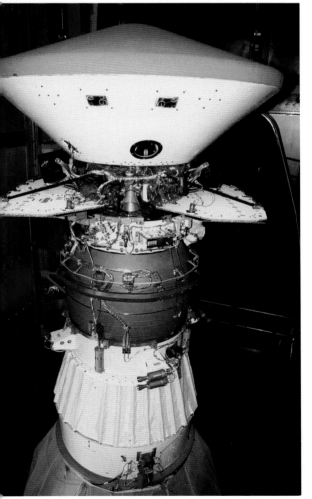

Mars Pathfinder działał znacznie dłużej, niż po nim się spodziewano: jednostka lądująca funkcjonowała prawie 3-krotnie dłużej, niż zaplanowano, a Sojourner – aż 12 razy dłużej. Ten ostatni jeździł po powierzchni Czerwonej Planety, fotografował i dokonywał analizy skał. Łącznie sonda przesłała na Ziemię 16 550 zdjęć.

Jakich danych dostarcza Mars Pathfinder?

Sonda Mars Global Surveyor dotarła do Marsa wkrótce po Pathfinderze i weszła na orbitę wokół Czerwonej Planety. Do 2006 r. przesyłała na Ziemię zdjęcia powierzchni planety. Aby zaoszczędzić paliwo, NASA po raz pierwszy zastosowała nowe procedury osiągania docelowej orbity. Zamiast wyhamowywać sondę za pomocą silników, kierowano ją wielokrotnie na skraj górnych warstw atmosfery Marsa, co powodowało stopniową zmianę orbity.

Czym wyróżniał się Mars Global Surveyor?

W 1999 r. NASA użyła Mars Polar Landera do eksploracji okolic południowego bieguna Czerwonej Planety. Lądownik miał osiąść na powierzchni Marsa przy użyciu dysz, ale wystąpiły problemy i po wejściu obiektu w atmosferę Marsa kontakt z Ziemią się urwał. Prawdopodobnie Mars Polar Lander roztrzaskał się o powierzchnię Czerwonej Planety.

Co stało się z Mars Polar Landerem?

Dlaczego nie powiodła się misja Mars Climate Orbitera?

Mars Climate Orbiter miał być pierwszym satelitą meteorologicznym okrążającym inną planetę. Dotarł do Marsa 23 września 1999 r. Tego samego dnia kontakt z sondą został przerwany. Okazało się, że przy ustalaniu kursu NASA popełniła błąd przy przeliczaniu jednostek.

Co to jest 2001 Mars Odyssey?

Po 2 nieudanych misjach na Marsa w 1999 r. NASA ponownie odnotowała sukces w postaci wyprawy 2001 Mars Odyssey. Sonda weszła na orbitę Marsa w październiku 2001 r. i zaczęła prowadzić stamtąd badania powierzchni Czerwonej Planety. Dostarczyła przy tym danych, które mogą świadczyć o obecności wody w marsjańskim gruncie.

Jaką rolę odgrywa 2001 Mars Odyssey w planowaniu kolejnych wypraw na Marsa?

Na pokładzie sondy znajdują się urządzenia precyzyjnie mierzące intensywność promieniowania na orbicie Marsa. Jest to ważne dla przyszłych załogowych lotów na Czerwoną Planetę. Poza tym sonda może przy okazji kolejnych misji pełnić funkcję pośrednika w komunikacji z Ziemią.

Banalny błąd rachunkowy doprowadził do nieodwracalnej utraty sondy meteorologicznej Mars Climate Orbiter.

Kiedy wystartowała pierwsza europejska misja na Marsa?

Pierwszą wyprawą na Marsa z udziałem Europejczyków miała być rosyjsko-europejska misja Mars-96, ale jej start się nie powiódł. Z powodzeniem wystartowała natomiast sonda Mars Express, która dotarła do Czerwonej Planety w grudniu 2003 r. Jej kamery pokładowe wciąż przesyłają na Ziemię zdjęcia powierzchni Marsa o nieosiągalnej przedtem jakości.

Co to jest Beagle 2?

Beagle 2 to niewielki lądownik, który poleciał na Marsa wraz z europejską sondą Mars Express. Chroniony przez poduszki powietrzne, miał wylądować na spadochronach na Czerwonej Planecie i zbadać własności marsjańskiego gruntu. Jednak po wejściu w atmosferę Marsa Beagle 2 prawdopodobnie roztrzaskał się o powierzchnię planety.

Mimo nowoczesnych urządzeń na pokładzie sondy Mars Express nie udało się zlokalizować Beagle 2 po jego wejściu w atmosferę Czerwonej Planety.

W zróżnicowanym świetle kolory mogą wyglądać zupełnie inaczej. Tak jest również na Marsie. Ale skąd możemy na Ziemi wiedzieć, jak dokładnie wyglądają barwy na Marsie, skoro znamy je wyłącznie ze zdjęć? Dlatego Mars Rover został wyposażony w niewielki próbnik barw. Naukowcy mogą więc sprawdzić, jak bardzo różnią się kolory na znajdującym się na Marsie próbniku od oryginału i dokonać odpowiedniej korekty marsjańskich fotografii.

Czym są Spirit i Opportunity?

Spirit i Opportunity to dwa pojazdy marsjańskie, które wylądowały na Czerwonej Planecie na początku 2004 r. i badały ją przez ponad 6 miesięcy. Są to niewielkie samojezdne urządzenia geologiczne, analizujące skały i próbki gruntu.

Jak przebiega najnowsza wyprawa na Marsa?

12 sierpnia 2005 r. nastąpił start kolejnej misji NASA pod nazwą Mars Reconaissance Orbiter. Sonda jest wyposażona między innymi w najnowocześniejszą kamerę, jaka kiedykolwiek znalazła się w pobliżu innej planety. Mars Reconaissance Orbiter okrąża Marsa od 10 marca 2006 r. i wykonuje zdjęcia powierzchni planety.

Czy planuje się kolejne wyprawy na Marsa?

NASA pracuje między innymi nad urządzeniem, które zbadałoby okolice północnego bieguna Czerwonej Planety i dysponowałoby mobilnym laboratorium, umożliwiającym prowadzenie badań na Marsie w dłuższym czasie. W trakcie tej misji naukowcy chcą także przećwiczyć procedury bezpiecznego lądowania w trudnym terenie.

Czy planuje się przywieźć na Ziemię próbki gruntu z Marsa?

Najlepsze możliwości zbadania marsjańskiego gruntu istnieją oczywiście na Ziemi. Dlatego NASA planuje zorganizowanie misji, w trakcie której zostałyby zebrane i wysłane na Ziemię próbki gruntu. Byłby to również ważny etap przygotowań do lotu załogowego na Czerwoną Planetę. Zdaniem ekspertów z NASA taka wyprawa po próbki nie nastąpi jednak wcześniej niż w 2014 r.

W latach 2006–2008 sonda Mars Reconaissance Orbiter ma wykonać z orbity zdjęcia rozległych obszarów Czerwonej Planety.

Jakie trzeba spełnić warunki, by człowiek poleciał na Marsa?

Zanim nastąpi lot załogowy na Czerwoną Planetę, trzeba jeszcze przeprowadzić wiele badań przy użyciu bezzałogowych sond kosmicznych. Naukowcy muszą znaleźć wodę, której astronauci mogliby używać do picia, a także inne surowce, z których dałoby się ewentualnie wyprodukować na miejscu paliwo konieczne do podróży powrotnej na Ziemię.

Kiedy wystartowała sonda Galileo?

Podróż sondy Galileo w kierunku Jowisza rozpoczęła się 18 października 1989 r. Sonda dotarła do celu w 1995 r. Rozpoczęły się trwające niemal 8 lat badania gazowego olbrzyma i jego księżyców.

Jak sonda Galileo badała atmosferę Jowisza?

Galileo miała na pokładzie niewielką sondę, która oddzieliła się od macierzystego pojazdu 5 miesięcy przed osiągnięciem celu wyprawy i sama poleciała dalej w kierunku Jowisza. Do górnej warstwy atmosfery dotarła na początku grudnia 1995 r. i zanim uległa zniszczeniu, wniknęła w nią na głębokość 200 km.

Co badała sonda Galileo w układzie Jowisza?

Sonda Galileo krążyła wokół Jowisza od 1995 do 2003 r. W tym czasie zdołano dość dokładnie zbadać zarówno samą planetę, jak i wiele spośród jej księżyców. Od kilku z nich sonda przeleciała w odległości zaledwie kilkuset kilometrów.

Dlaczego wielokrotnie przedłużano misję Galileo?

Początkowo misja Galileo miała trwać jedynie 2 lata, ale wielokrotnie ją przedłużano. Dzięki temu zbadano księżyce Jowisza Europę oraz Io. Pod koniec 2000 r. obok Jowisza przelatywała kierująca się w stronę Saturna sonda Cassini. Wtedy raz jeszcze przedłużono misję Galileo, aby obie sondy mogły wspólnie wykonać kolejne zdjęcia gazowego olbrzyma.

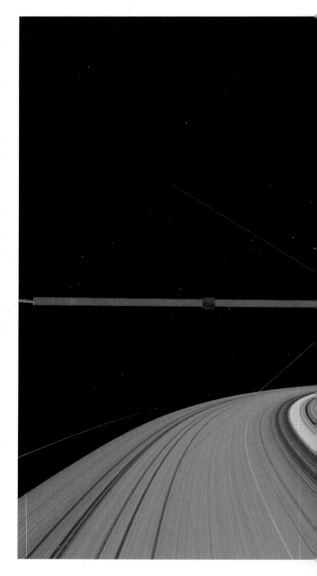

W 1989 r. sonda Galileo ruszyła w kosmos na pokładzie promu kosmicznego Atlantis.

21 września 2003 r. sonda Galileo weszła w atmosferę Jowisza i została doszczętnie zniszczona. Decyzję o takim zakończeniu misji podjęto po to, by zapobiec ewentualnemu zanieczyszczeniu jednego z odkryć sondy. Znalazła ona bowiem wskazówki świadczące o tym, że pod powierzchnią księżyca Europa może rozciągać się ocean. Po planowanym pierwotnie zakończeniu misji sonda mogłaby runąć właśnie na Europę i zanieczyścić ten ocean ziemskimi bakteriami.

Dlaczego sonda Galileo spadła na Jowisza?

Cassini-Huygens to nazwa europejsko-amerykańskiej misji kosmicznej, której celem jest badanie Saturna i jego księżyców, zwłaszcza Tytana. Jej start nastąpił 15 października 1997 r. Sonda dotarła do celu w lipcu 2004 r. Misję zaplanowano na 4 lata, ale w 2008 r. przedłużono ją o kolejne 2 lata. W tym czasie sonda kilkadziesiąt razy okrążyła Saturna i wykonała bardzo dokładne zdjęcia jego pierścieni.

Co to jest Cassini-Huygens?

Huygens to przyczynek Europejskiej Agencji Kosmicznej ESA do misji Cassini-Huygens. Chodzi o niewielki lądownik znajdujący się na pokładzie sondy Cassini wysłanej na Saturna. W styczniu 2005 r. Huygens wylądował na powierzchni Tytana, jednego z księżyców Saturna.

Co to jest Huygens?

W pracach nad projektem Cassini-Huygens wzięło udział 17 państw. Lądownik Huygens w 2005 r. dostarczył istotnych informacji na temat powierzchni Tytana, jednego z księżyców Saturna.

Sonda Orbiter Cassini zdążyła już wykonać część przydzielonych jej zadań. W 2002 r. dostarczyła kolejnych dowodów na prawdziwość ogólnej teorii względności sformułowanej przez Einsteina. Misja sondy zakończyła się oficjalnie 30 czerwca 2008 r., ale jej prace przedłużono o kolejne 2 lata.

PRZYSZŁOŚĆ

Zaraz po tym, jak pierwszy człowiek postawił stopę na Księżycu, zaczęto marzyć o kolejnym kroku: o wyprawie na inną planetę. Obecnie w Stanach Zjednoczonych i w Europie na serio rozważa się możliwość zorganizowania załogowej wyprawy na Marsa. Być może w ciągu najbliższych dziesięcioleci stanie się ona rzeczywistością. Ale najpierw naukowcy zamierzają powrócić na Księżyc i tam pozostać. Tymczasem prowadzi się badania odległych światów wokół innych słońc. Znaleziono już tam ponad 100 planet. Jednak nie ma wśród nich drugiej Ziemi, ale i to może się zmienić już w najbliższej przyszłości.

Dlaczego naukowcy rozważają osiedlenie się na Księżycu?

Księżyc jest obecnie brany pod uwagę jako „stacja pośrednia" kolejnych misji kosmicznych. Technologie potrzebne np. w załogowych wyprawach na Marsa można przetestować na Księżycu w optymalnych warunkach.

Dlaczego sport na Księżycu jest taki przyjemny?

Ze względu na mniejszą siłę przyciągania Księżyca dorosły człowiek waży na Srebrnym Globie zaledwie 10–15 kg. Można tam więc skakać znacznie wyżej; to dobre warunki do obmyślania zupełnie nowych gier zespołowych.

Kiedy powstanie pierwsze osiedle na Księżycu?

Najwięksi optymiści wśród naukowców wierzą, że stała placówka na Księżycu powstanie już w ciągu najbliższych 20 lat. To znacznie przybliżyłoby perspektywę skolonizowania Srebrnego Globu.

Co jest największym problemem w zasiedleniu Księżyca?

Najpierw trzeba ostatecznie wyjaśnić, czy na Księżycu rzeczywiście występuje woda. Uzyskane dane świadczą wprawdzie o tym, że może się ona znajdować w okolicach biegunów Księżyca, ale nie jest to jeszcze całkiem pewne.

Dlaczego woda jest tak ważna?

Jeśli na Księżycu nie ma wody, trzeba będzie przywieźć ją z Ziemi, a taka operacja jest niesamowicie kosztowna. Przetransportowanie litra wody na Księżyc może kosztować nawet kilka tysięcy dolarów.

Zanim na Srebrnym Globie powstanie stała stacja badawcza, astronauci będą mieszkać w kapsule kosmicznej.

Według aktualnych teorii Księżyc powstał w wyniku zderzenia się Ziemi z obiektem o rozmiarach Marsa. Jeśli to prawda, pod powierzchnią Księżyca powinny się znajdować pokłady cennych surowców, takich jak żelazo, aluminium i tak rzadko występujący na Ziemi tytan.

Dlaczego przemysł jest zainteresowany zasiedleniem Księżyca?

Duże radioteleskopy, ustawione na odwróconej od Ziemi stronie Księżyca, pozwoliłyby prowadzić obserwacje miejsc niewidocznych z naszej planety, niezakłócone transmisjami telewizyjnymi czy radiowymi.

Dlaczego astronomowie interesują się Księżycem?

Teoretycznie na Księżycu powinno się znajdować wszystko, co jest potrzebne do budowy ogniw słonecznych. Można by więc było zainstalować na całej powierzchni Srebrnego Globu gigantyczne systemy ogniw słonecznych i pozyskaną w ten sposób energię przesłać w postaci promieni laserowych na Ziemię. Pozwoliłoby to zaopatrywać w prąd także te regiony Ziemi, w których dziś brakuje elektrowni.

Czy Księżyc mógłby pokryć zapotrzebowanie Ziemi na energię?

Ludzie będą musieli żyć na Księżycu w środowisku, które znacznie różni się od warunków panujących na Ziemi. Pewnych problemów może nastręczyć np. znikoma siła przyciągania Księżyca. Nie wiemy, jak mogłaby działać na dzieci w fazie wzrostu, czy np. kości rosłyby im dokładnie tak samo jak na Ziemi.

Jakich problemów można się spodziewać w trakcie zasiedlania Księżyca?

Nie. Po Księżycu można się poruszać jedynie w kombinezonie. Oczywiście naukowcy myślą o budowie potężnych zadaszonych obszarów, w których panowałaby atmosfera przypominająca ziemską.

Czy będzie można biegać po Księżycu bez kombinezonu?

Kratery powstałe w wyniku uderzenia meteorytów oferują niemal idealne warunki do budowy rozległej bazy na Księżycu.

Czy lądowanie na Marsie będzie przypominało lądowanie na Księżycu?

Lądując na Księżycu, astronauci mieli na pokładzie lądownika wszystko, czego potrzebowali. Ponieważ jednak na Marsie człowiek pozostanie dłużej, trzeba będzie zabrać ze sobą więcej zapasów. Dlatego prawdopodobnie część wyposażenia zostanie wcześniej wysłana na Czerwoną Planetę na pokładach rakiet bezzałogowych.

Ile potrwa wyprawa na Marsa?

Mniej więcej co 460 dni Ziemia i Mars znajdują się w takim położeniu względem siebie, które pozwala dotrzeć na Czerwoną Planetę w najkrótszym możliwym czasie i tak samo z niej wrócić. Według niektórych scenariuszy jednak pobyt na Marsie miałby potrwać zaledwie kilka tygodni.

Czy wszystkie zapasy trzeba zabrać ze sobą?

Nie, to byłoby zbyt kosztowne. Aby pierwszy załogowy lot na Marsa mógł zakończyć się sukcesem, trzeba zapewnić możliwość wyprodukowania z istniejących na Marsie surowców tego, co będzie astronautom potrzebne, przede wszystkim wody, tlenu i paliwa.

Gdzie zamieszkają astronauci?

Wstępne plany przewidują, że astronauci będą mieszkać w statku kosmicznym, w którym przybędą na Marsa – dwupiętrowym obiekcie w kształcie walca o wysokości 7,5 m i średnicy 6 m.

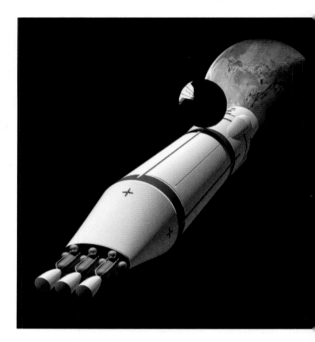

Po wielu miesiącach podróży pierwszy załogowy statek kosmiczny dotrze na Czerwoną Planetę. Na jego pokładzie znajdą się zapasy żywności i paliwa na wielomiesięczny pobyt na Marsie oraz powrót na Ziemię.

Po wybudowaniu stałej stacji kosmicznej jej mieszkańcy będą poszukiwać surowców niezbędnych do wyprodukowania paliwa i tlenu potrzebnego do oddychania.

Wydobyte surowce są wynoszone w gigantycznych pojemnikach na orbitę Marsa, gdzie odbywa się ich obróbka.

Co się stanie, jeśli przy powrocie nastąpią komplikacje?

Naukowcy rozważają wysłanie na Marsa drugiego promu, który pozwoli wrócić na orbitę, a także zapasowego statku kosmicznego umożliwiającego powrót na Ziemię. Przybyłby on na Czerwoną Planetę ok. 2 miesięcy po wylądowaniu pierwszego statku.

Dlaczego w ogóle będzie można zamieszkać na Marsie?

Pod wieloma względami Mars przypomina Ziemię. Doba na Czerwonej Planecie trwa mniej więcej tyle co ziemska. Ze względu na nachylenie osi obrotu na Marsie występują pory roku. Jednak jest tam znacznie zimniej: przeciętna temperatura wynosi ponad –60°C.

Mars nigdy nie będzie taki sam jak Ziemia. Nie zmienimy ani większej odległości od Słońca, ani mniejszej siły przyciągania. Istnieją jednak naukowcy parający się terraformingiem, czyli możliwością przekształcenia niegościnnej planety w miejsce przyjazne dla człowieka.

Pierwszy etap obejmowałby podniesienie temperatury na Marsie. W tym celu na Czerwonej Planecie można byłoby np. wznieść fabryki produkujące gazy, które wywołują efekt cieplarniany, stopniowo prowadzący do ogrzania atmosfery.

Naukowcy oceniają, że terraforming Marsa – o ile w ogóle przebiegałby tak, jak to sobie dzisiaj wyobrażamy – musiałby trwać kilka tysięcy lat.

Czy Mars może stać się nową Ziemią?

Na czym polega terraforming?

Jak długo trwałby terraforming Marsa?

Czy istnieje maksymalna prędkość galaktyczna?

Tak. Wszystko wskazuje na to, że nic nie może się poruszać szybciej niż światło. Jest to istotny element teorii względności Alberta Einsteina. Dotąd żadne doświadczenie nie pozwoliło zakwestionować tego twierdzenia.

Czy można się będzie poruszać z prędkością światła?

To również nie będzie możliwe. Być może jednak da się osiągnąć prędkość bliską prędkości światła, będzie to jednak wymagało potężnych nakładów energii.

Dlaczego przekroczenie prędkości światła jest niemożliwe?

Gdyby jakiś obiekt poruszał się prędzej niż światło, dotarłby do celu wcześniej niż jego obraz. Statek kosmiczny podróżujący z taką prędkością byłby praktycznie niewidzialny, a to nastręczyłoby kolejnych problemów.

Czy kiedyś polecimy do innych gwiazd?

Kiedyś na pewno, bo przecież człowiek od zarania dziejów dąży do zbadania nieznanego. Ale zanim do tego dojdzie, miną jeszcze z pewnością całe wieki. Układ gwiazd Alfa Centauri znajduje się np. w odległości 4 lat świetlnych od Ziemi. Podróżując nawet z prędkością 250 000 km/h, potrzebowalibyśmy 18 000 lat, żeby tam dotrzeć.

Podróże do odległych gwiazd wymagałyby budowy potężnego wielopokoleniowego statku kosmicznego. Kolejne generacje musiałyby w nim spędzić całe życie po to, by w końcu ich potomkowie mogli dotrzeć do najbliższej nam poza Słońcem gwiazdy – Proxima Centauri.

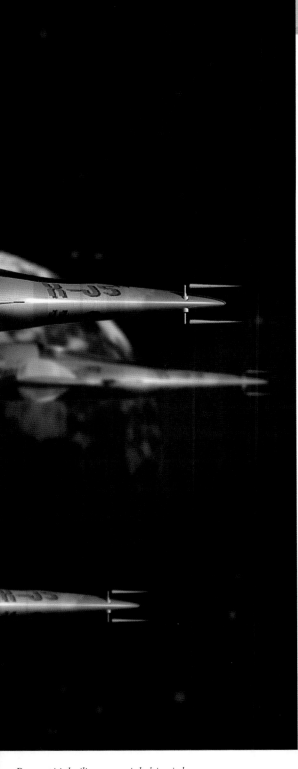

Najnowszym osiągnięciem człowieka jest ustanowienie na orbicie okołoziemskiej stałej placówki badawczej: Międzynarodowej Stacji Kosmicznej. Ale ISS jest całkowicie uzależniona od Ziemi. Aby wybrać się w dalszą podróż, potrzebne będą całkowicie autonomiczne stacje.

Co trzeba zrobić, by wyruszyć do innych gwiazd?

W latach 70. ubiegłego wieku powstało kilka opracowań tzw. habitatów, czyli stacji kosmicznych krążących wokół Ziemi, Księżyca czy Marsa, w których w jednym czasie mogłoby mieszkać kilka tysięcy ludzi.

Czy NASA planuje skolonizowanie kosmosu?

Nie. Zgodnie z planami takie habitaty składałyby się z gigantycznych walców obracających się wokół swojej osi wzdłużnej, dzięki czemu powstałoby wrażenie grawitacji. Przestrzeń mieszkalna ze środowiskiem przypominającym ziemskie znajdowałaby się na wewnętrznych ścianach tego walca.

Czy w takich koloniach panowałby stan nieważkości?

Pierwszy statek, który opuści Układ Słoneczny, udając się w kierunku odległych planet czy innej gwiazdy, musiałby być bardzo duży, aby zmieścili się w nim protoplaści pokoleń, które mieszkałyby tam przez następne tysiące lat. Być może będzie przypominał jeden z niezależnych od Ziemi habitatów.

Jak mogłyby wyglądać statki kosmiczne opuszczające Układ Słoneczny?

Do ostatniej chwili zapewne nie będzie wiadomo, czy w pobliżu znajdzie się planeta, na której załoga statku kosmicznego mogłaby żyć tak jak na Ziemi. Prawdopodobieństwo jest raczej nikłe.

Aby wytworzyć na stacji kosmicznej sztuczną grawitację, trzeba wprawić obiekt w ruch obrotowy. Powstaje przy tym siła przyciągająca do zewnętrznych ścian wszystko, co znajduje się w środku.

Co to jest 51 Pegasi?

W październiku 1995 r. genewscy astronomowie ogłosili odkrycie planety w okolicach gwiazdy 51 Pegasi. Była to pierwsza planeta odkryta w pobliżu innej gwiazdy.

Czy można bezpośrednio obserwować planetę obok 51 Pegasi?

Nie. O istnieniu większości planet poza Układem Słonecznym możemy wnioskować jedynie pośrednio. Okrążając gwiazdę, planeta powoduje zakłócenia grawitacji, które możemy zarejestrować na Ziemi za pomocą nowoczesnych urządzeń.

Czy udało się znaleźć drugą Ziemię?

Przy wykorzystaniu nowoczesnej techniki udało się do tej pory odkryć jedynie planety wielkości co najmniej Saturna, krążące wokół centralnej gwiazdy w niewielkiej odległości. Na razie nie odkryto więc żadnej planety, która przypominałaby Ziemię.

Czy odkryto układy słoneczne z wieloma planetami?

W 2001 r. astronomowie odkryli w okolicach gwiazdy 47 Ursae Majoris drugą planetę. Było to pierwsze w historii odkrycie układu planetarnego, obejmującego co najmniej 2 planety krążące po orbitach kołowych wokół gwiazdy centralnej. Do tej pory taki system znaliśmy tylko z naszego Układu Słonecznego.

Astronomowie przypuszczają, że w tym rejonie Mgławicy Oriona znajduje się szczególnie wiele planet. Mgławica Oriona leży w odległości ok. 1500 lat świetlnych od Ziemi.

Na 2014 r. NASA planuje start misji Terrestrial Planet Finder. Jej zadaniem będzie poszukiwanie ciał niebieskich podobnych do Ziemi.

Dowiedziono już, że planety istnieją również w innych systemach słonecznych. Do tej pory jednak naukowcy zdołali odkryć jedynie planety o rozmiarach mniej więcej Jowisza.

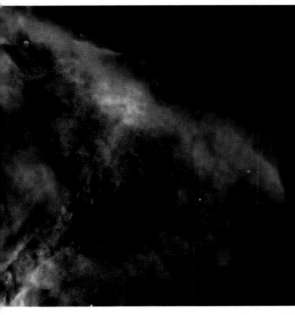

Astronomowie przeprowadzili symulacje uwzględniające orbity obu znanych planet. Ich zdaniem wokół Ursae Majoris znajduje się strefa, w której mogłaby istnieć planeta podobna do Ziemi.

Czy w pobliżu 47 Ursae Majoris może istnieć zamieszkana planeta?

Do czerwca 2008 r. odkryto łącznie 294 planety krążące wokół gwiazd podobnych do naszego Słońca, wśród nich 21 układów zawierających większą liczbę planet. Do tego dochodzą jeszcze 4 planety okrążające, tak zwane pulsary, czyli wirujące gwiazdy neutronowe.

Ile planet poza Układem Słonecznym odkryto do tej pory?

Najbliższa gwiazda, obok której astronomowie odkryli planety, to Epsilon Eridiani, znajdująca się w odległości ok. 10 lat świetlnych od Ziemi. Pierwszą z okrążających ją planet odkryto w 2000 r. Przypomina ona wielkością Jowisza i wykonuje jedno okrążenie wokół gwiazdy centralnej w ciągu 7 lat.

Jak daleko znajduje się najbliższa planeta poza Układem Słonecznym?

Czasami zdarza się, że położona poza Układem Słonecznym planeta, obserwowana z Ziemi, przechodzi przed swoją centralną gwiazdą i na chwilę zasłania jej światło. 7 listopada 1999 r. astronomom po raz pierwszy udało się zaobserwować takie zjawisko.

Czy prowadzono bezpośrednie obserwacje planet poza Układem Słonecznym?

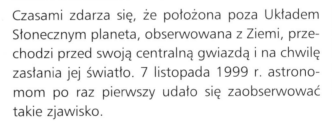

Terrestrial Planet Finder to planowana misja amerykańskiej agencji kosmicznej NASA, której zadaniem będzie poszukiwanie planet podobnych do Ziemi w promieniu 45 lat świetlnych. Misja ma się rozpocząć już w najbliższych latach. ESA planuje podobną misję pod nazwą Darwin.

Co to jest Terrestrial Planet Finder?

Planety nie świecą własnym światłem i krążą wokół jasnej gwiazdy, dlatego są niemal niewidoczne. Poza tym planety znajdują się dość blisko gwiazdy centralnej, więc aby je odkryć, teleskop musiałby mieć gigantyczną rozdzielczość.

Dlaczego tak trudno odkryć planety krążące wokół innych gwiazd?

Co znaczy skrót SETI?

Skrót SETI pochodzi od *Search for Extraterrestrial Intelligence*. Tym wspólnym terminem określa się projekty, w ramach których prowadzone są poszukiwania sygnałów emitowanych przez inteligentne istoty pozaziemskie.

Kiedy zaczęto poszukiwać sygnałów od istot pozaziemskich?

W 1959 r. naukowcy zaczęli badać możliwości odbioru sygnałów od cywilizacji pozaziemskich. Już rok później użyto radioteleskopu do pierwszych praktycznych prób. Ze względu na ogromne koszty owo „nasłuchiwanie" nie trwało jednak długo.

Co SETI ma wspólnego z E.T.?

Amerykańska agencja NASA nigdy nie wyłożyła znacznych kwot na program SETI. W 1982 r. reżyser Steven Spielberg nakręcił film pt. *E.T.*, który stał się wielkim kinowym hitem. Z przychodów uzyskanych ze sprzedaży biletów Spielberg przekazał 100 000 dolarów na projekt SETI, aby wspomóc poszukiwania inteligencji pozaziemskiej.

Aby móc odbierać sygnały z kosmosu, konieczne są ogromne urządzenia odbiorcze. Idealne warunki do budowy takich instalacji oferuje Księżyc.

Czy każdy może uczestniczyć w poszukiwaniu E.T.?

Tak. W ramach projektu SETI@home każdy może ściągnąć z Internetu do swojego komputera dane z radioteleskopu w Arecibo. W czasie, gdy komputer nie pracuje, program przetwarza dane w tle, szukając charakterystycznych ciągów. Opracowane dane są przesyłane przez program do komputerów naukowców.

Co to jest sygnał „wow"?

Również 15 sierpnia 1977 r. radioteleskopy badały niebo w poszukiwaniu sygnałów od istot pozaziemskich. Jeden z naukowców wyłowił z danych podejrzany sygnał i napisał obok „wow". Ale sygnał ten nigdy już się nie powtórzył i dzisiaj badacze zakładają, że był to sygnał satelity, o którym naukowcy z SETI nie mieli pojęcia.

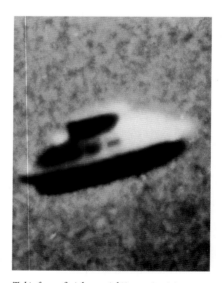

Takie fotografie jak ta co jakiś czas ożywiają w niektórych ludziach wiarę w możliwość wizyty przedstawicieli obcych cywilizacji. Jednak naukowcy powątpiewają w autentyczność tego typu zdjęć.

Poszukiwanie wiadomości od innych istot inteligentnych koncentruje się, z małymi wyjątkami, na wypatrywaniu podejrzanych sygnałów radiowych. Astronomowie wierzą, że to właśnie sygnały radiowe najlepiej nadają się do przekazywania informacji na duże odległości. Sygnał radiowy przemieszcza się z prędkością światła, ale w przeciwieństwie do promieni świetlnych może również przenikać przez gęste obłoki pyłu, uniemożliwiające bezpośrednią obserwację wielu gwiazd.

Na początku lat 60. ubiegłego wieku grupa naukowców i inżynierów spotkała się na konferencji, aby podyskutować na temat możliwości kontaktu z innymi istotami inteligentnymi. Aby pokazać, które aspekty są istotne do oszacowania liczby planet zamieszkanych przez istoty inteligentne, Frank Drake zaprezentował prostą formułę, która otrzymała miano równania Drake'a.

Co to jest równanie Drake'a?

Aby oszacować, z iloma planetami moglibyśmy dziś nawiązać kontakt, trzeba oczywiście najpierw wiedzieć, ile planet istnieje. Muszą one znajdować się w strefie wokół gwiazdy, gdzie panują warunki sprzyjające życiu. Muszą się również na nich rozwinąć inteligentne formy życia, zdolne do wysyłania w przestrzeń kosmiczną sygnałów oraz do ich odbierania.

Co zawiera równanie Drake'a?

Podstawowym budulcem życia jest woda. Dlatego naukowcy zakładają, że na planecie, na której rozwinęło się życie, musi istnieć woda w postaci płynnej. Obszar wokół każdej gwiazdy, gdzie panuje temperatura, w której możliwe jest występowanie płynnej wody, nosi więc miano strefy odpowiedniej do zamieszkania.

Co to jest strefa odpowiednia do zamieszkania?

Strefa odpowiednia do zamieszkania w Układzie Słonecznym obejmuje obszar między orbitami Wenus i Marsa. Ziemia znajduje się więc dokładnie w tej strefie.

Jak duża jest strefa odpowiednia do zamieszkania w Układzie Słonecznym?

Ponieważ prawdopodobieństwo jest bardzo nikłe, sam fakt rozwinięcia się cywilizacji w pobliżu Ziemi nie wystarczy. Cywilizacja ta musiałaby dysponować obecnie podobnymi osiągnięciami technicznymi jak nasze: gdyby istoty pozaziemskie próbowały nawiązać z nami kontakt 100 lat temu, nikt nie byłby w stanie tego faktu zarejestrować.

Dlaczego naukowcy wątpią w możliwość odbioru sygnału od istot pozaziemskich?

To mało prawdopodobne, by ludzie w ogóle byli w stanie zrozumieć wiadomość z kosmosu.

Co to jest SETI optyczne?

SETI optyczne to projekt polegający na badaniu kosmosu w poszukiwaniu sygnałów świetlnych. Do tej pory poszukiwano bowiem wyłącznie sygnałów radiowych.

Czy Ziemię odwiedziły już kiedyś istoty pozaziemskie?

Nie mamy na to żadnego przekonującego dowodu, podobnie jak nie istnieje naukowe potwierdzenie obserwacji niezidentyfikowanych obiektów latających czy wręcz spotkania z istotami pozaziemskimi.

Czy w Roswell nastąpiła katastrofa UFO?

Niektórzy są święcie przekonani o tym, że w 1947 r. w pobliżu amerykańskiego miasteczka Roswell spadło UFO. Amerykańskie lotnictwo wojskowe opublikowało tymczasem raport, według którego nastąpiła tam wówczas katastrofa balonu testowego.

Dlaczego tak wielu ludzi wierzy w UFO?

Licznych zjawisk świetlnych, które można zaobserwować na niebie, nie da się jednoznacznie wyjaśnić, a częstokroć UFO wydaje się jedynym sensownym wytłumaczeniem.

Czy wysłano już wiadomość w przestrzeń kosmiczną?

W 1974 roku radioastronomowie wysłali w kierunku gromady gwiazd M13 krótką informację. Na odpowiedź możemy liczyć jednak najwcześniej za 50 000 lat.

Przedstawiony na zdjęciu obiekt nie jest wcale latającym spodkiem, lecz próżniowym zbiornikiem Lewis Research Center w Cleveland, w stanie Ohio.

W 1967 r. Jocelyn Bell zarejestrowała dziwne sygnały z kosmosu. Nikt nie wiedział wówczas, skąd pochodzą i co oznaczają. Później okazało się, że Jocelyn Bell odkryła pulsar.

Jaki sygnał zarejestrowano w 1967 r.?

Tego nie wiemy, nikt nie widział bowiem nigdy żadnej pozaziemskiej istoty. Obecnie naukowcy przypuszczają, że aby na innych planetach mogło rozwinąć się życie, musiałaby występować tam woda w stanie płynnym jako podstawowy budulec życia, w której rozwinęłyby się prymitywne organizmy żywe.

Jak mogłoby wyglądać życie pozaziemskie?

Niektórzy naukowcy poszukują życia w najbardziej niegościnnych regionach Ziemi. Znaleziono już bakterie w lodach Antarktydy i w gorących źródłach wulkanicznych. Jeśli zrozumiemy, jak organizmy żywe mogą zaadaptować się do ekstremalnych warunków i rozwijać się w nich, będziemy mogli łatwiej poszukiwać życia na innych planetach.

Dlaczego poszukiwania istot pozaziemskich rozpoczyna się od Ziemi?

Siła przyciągania na innych planetach może być większa lub mniejsza niż na Ziemi, żyjące tam istoty musiałyby więc wyglądać inaczej niż my. Być może tam życie rozgrywa się np. w chmurach.

Czy gdzie indziej życie wygląda inaczej?

Nawet jeśli któregoś dnia uda się nam nawiązać kontakt z istotami pozaziemskimi, komunikacja z nimi musiałaby się odbywać na bardzo duże odległości. Niebezpieczeństwo zarażenia się nieznanymi nam chorobami byłoby zbyt duże.

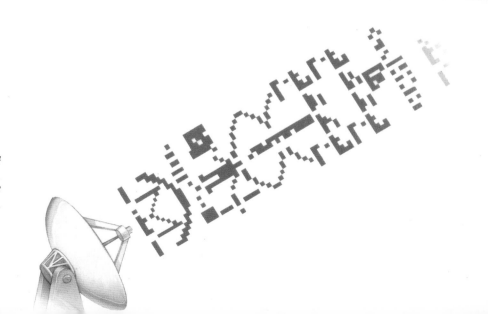

W 1974 r. teleskop Arecibo w Puerto Rico wysłał pierwszą wiadomość do innego układu gwiezdnego. Celem tej wiadomości była gromada gwiazd M13 w konstelacji Herkulesa.

Co to jest wymiar?

Świat, w którym żyjemy, jest trójwymiarowy. Możemy poruszać się do przodu i do tyłu, w prawo i w lewo oraz do góry i w dół. Kartka papieru natomiast na tylko dwa wymiary: aby opisać określony punkt na tej kartce, wystarczy podać jego odległość od lewej i od dolnej krawędzi.

Co to jest czwarty wymiar?

Albert Einstein wprowadził pojęcie czasu jako czwartego wymiaru. W sformułowanej przez niego teorii względności przestrzeń i czas stanowią jedność: to tak zwana czasoprzestrzeń.

Czy istnieje jeszcze więcej wymiarów?

Niektóre teorie dotyczące powstania Wszechświata i sił, które w nim działają, wymagają do opisania go 11, a nawet więcej wymiarów. Te dodatkowe wymiary nie mają jednak dla nas żadnego praktycznego znaczenia. Jako stworzenia trójwymiarowe postrzegamy jedynie 3 wymiary.

Czy istnieją światy równoległe?

Niektórzy naukowcy wierzą, że nasz Wszechświat jest tylko jednym z wielu w 11-wymiarowej przestrzeni. Kilku uczonych spekuluje nawet, że przyczyną Wielkiego Wybuchu było zderzenie dwóch wszechświatów.

Tunele czasoprzestrzenne mogłyby niezwykle skrócić podróże po Wszechświecie. Przestają w nich działać zasady rządzące przestrzenią i czasem, można więc w bardzo krótkim czasie pokonywać ogromne odległości. Jednak, jak dotąd, takie dziury istnieją tylko w teorii.

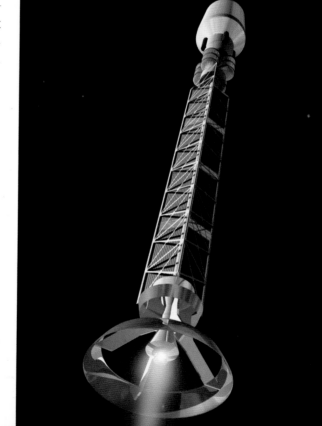

Napęd nadświetlny mógłby ułatwić podróże kosmiczne. Polega on na zakrzywianiu przestrzeni wokół statku kosmicznego, doprowadzając go szybciej do celu. Jednak ten projekt NASA, przewidziany na 2040 r., do tej pory pozostaje jedynie w sferze teorii.

*Odpowiedzi na pytanie,
co znajduje się na końcu tunelu
czasoprzestrzennego, trzeba
szukać w gwiazdach.*

Co to jest tunel czasoprzestrzenny?

Tunele czasoprzestrzenne łączą dwa odległe regiony Wszechświata albo raczej dwa różne obszary czasoprzestrzeni. Ich istnienie można wywieść z teorii względności Einsteina, ale to jeszcze wcale nie musi oznaczać, że takie tunele faktycznie istnieją.

Czy tunele czasoprzestrzenne można wykorzystać do podróży w czasie?

Amerykańscy astronomowie obliczyli, że tunele czasoprzestrzenne – nawet jeśli rzeczywiście istnieją we Wszechświecie – byłyby zbyt małe, by mógł się przez nie prześliznąć statek kosmiczny.

Zdaniem naukowców obecnie jest niemożliwe skonstruowanie napędu nadświetlnego, czyli napędu warp, znanego z serialu *Star Trek*. Napęd taki miałby zakrzywiać przestrzeń (angielski czasownik *warp* znaczy odkształcić) i umożliwiać podróże kosmiczne z prędkością większą niż prędkość światła.

Zwykła materia składa się z protonów o ładunku dodatnim oraz z ujemnie naładowanych elektronów. Antymateria składa się natomiast z cząsteczek elementarnych, mających takie same właściwości jak zwyczajna materia, ale przeciwny ładunek elektryczny.

Kiedy antymateria styka się z materią, dochodzi do ich wzajemnego unicestwienia. W naszym Wszechświecie prawdopodobnie nie istnieją duże ilości antymaterii. Można ją jednak wyprodukować. W 1970 r. udało się po raz pierwszy stworzyć atom antyazotu.

Czy kiedyś zostanie skonstruowany napęd nadświetlny?

Co to jest antymateria?

Gdzie istnieje antymateria?

Źródła ilustracji: DLR (3), ESA (12), ESO (1), MEV (8), Miles Kelly Art Library (22), NASA (105), Photodisc (6), Scaled Composites (1), STScl (15).